最新版

オンライン面接にも！

転職面接 受かる人はここが違う！

キャリアアドバイザー
藤井佐和子

はじめに

その人のよさ、特徴は、面接だけではわからない――。

これが私の持論です。おそらく、面接官の多くの方も同じように思っているはずです。また、転職の相談にいらした方が「面接でアピールするのが苦手。働きながら私のことをわかってもらえたらどんなにいいか……」とおっしゃっていたこともありました。この方のお気持ちもわかります。しかし、転職を成功させるためには、そうは言っていられないのが現実です。

企業も、数少ない採用枠で、失敗しない採用をしようと必死です。そのために、面接では様々な角度から質問するのです。本当にこの人は採用に値するのだろうか、と。

では、企業が「採用に値する」と感じる人は、どんな人なのでしょう。

これまでの経歴、実績はもちろん大事ですが、もうひとつ、大事な指標があります。それは、人柄。「人となり」です。

企業が、中途採用者に対してとくに大事に思っているのは、「一緒に仕事をするうえで信頼できる人であること」「前向きで、意識が高く、主体的に仕事をする人であること」「周囲にプラスとなる存在であること」、そして「社風に合う人」なのです。だからわざわざ、書類選考だけでなく、何度も面接を行うのです。

それは、入社試験を受けるみなさんも一緒ではないでしょうか。

就職先を決めるとき、その会社の風土や社員の雰囲気って気になりますよね。

求人票に書かれている仕事内容が納得できても、面接で会社に行ってみて、「何かが違う」と感じれば、そこで働くことを躊躇するのではないでしょうか。

また、信頼できる会社？　働く人たちはどんな人？　なぜこのポジションで募集が入っているの？　前の人は何が理由で辞めたの？　会社の雰囲気は？　など、仕事の内容以外で気になる点は山ほどあると思います。

企業も一緒なのです。ですから面接を受けるとき、みなさんは周囲から信頼される人、社風に合う人、前向きに仕事や他の社員と関われる人であることをアピールする必要があるのです。


本書では、転職者が面接で、自分がいかに魅力的な人物なのかを企業に伝えるために、話す内容、話し方、顔の表情、身振り手振りなど、全身全霊でプレゼンテーションしていただく方法と、その前提となる必要な考え方や行動の要素を盛り込みました。

本書を手掛けるきっかけとなったのは、私がキャリアアドバイザーとして、面接がどうしても通らない、という転職希望者の相談に乗ってきた経験からです。

たくさんの魅力をもちつつも、それを自覚していなかったり、言葉にできていない方々にたくさんお会いしてきました。そして、「こんなにたくさんの魅力をもっているのに、もったいない！」と思い、指導を重ねていくと、それまで全然受からなかった人が急に受かるようになり、そこから驚くくらい、次々に内定を獲得していく、という例をたくさん見てきました。

ではいったい、何を指導しているの？　と思われるかもしれませんが、それは案外単純なところを「修正」するだけ。キーワードは、相手（企業）の視点に立ってアピールすること。面接でいくら一生懸命自分をアピールしても、その企業が求める人材を理解していなければ、頑張って数撃ってもＮＧ！　そう、自分よがりのアピールにならないことが大事なのです。まずは冷静に、「私はこの会社（応募先の会社）で何を求められているのか」を探ることからスタートさせましょう。

本書には、キャリアアドバイザーとしてサポートした実績から、面接でうまくいくエッセンスを様々な角度から盛り込みました。少しでも転職希望者の方のお役に立てれば幸いです。

本書を通してより多くの方のキャリア支援をする。これが、私のできる雇用促進のお手伝いです……。

キャリアアドバイザー　藤井佐和子

もくじ

Part 1 面接の準備をする!

Part2 絶対知っておくべき面接のマナーとは？

Part3 オンライン面接のマナーとは？

Part6 確認の意味の質問はどう答えるべき？

Part7 企業へのギモン、どう切り出したらいい？

※本書は、『転職面接　内定を勝ち取る技術』（２０１６年10月15日初版発行）に新たな内容を加え、再編集したものです。

Part

1

面接の準備をする！

面接を突破できるか否かは、準備にかかっている！

今後のキャリアについて改めて考えるなど、根本的な準備をして面接に挑もう

面接を突破するコツとは？

「面接を通過するためのコツはありますか？」

転職に関するキャリアカウンセリングや講演などでよくこのような質問を受けるのですが、私はいつも次のように答えます。

「面接を通過するためには、何よりも準備が大事ですよ！」と。

　面接の準備というと、面接官の質問にどう答えるか、面接を受けるときの服装をどうするかなどを考えること、と思うかもしれません。たしかにそれも大事な準備ですが、ここでいう準備とは**もっと根本的なもの**を含みます。

　たとえば「そもそも、自分は今回の転職で何を達成させたいのか」「3年後、あるいは5年後、自分はどのような業界で、どのような職種で、どのような働き方をしていたいのか」などを考えることも含むのです。

　今更そんなことまでやる必要があるのだろうか、と思うかもしれませんが、これは面接を通過するためにも、そして今回の転職を後悔しないものにするためにも、とても大事なことなのです。

　この準備段階でやるべきことは、主に次ページに示した5つです。具体的にすべきことを順に確認していきましょう。

面接の準備で主にやるべきことは？

準備 その1

面接への不安・緊張を取り除く。

準備 その2

将来のビジョンを改めてまとめる。

準備 その3

応募企業のニーズを調べる。

準備 その4

自分のアピールポイント（応募企業のニーズに合致する部分）を明確にする。

準備 その5

企業のニーズに合わせて、「見た目」を整える。

準備！

そもそも面接は何のために行われる？

「この応募者は自社のニーズにどれだけ合った人物か」を企業側はチェックする

面接では、即戦力となるかどうかをチェックされる

面接の準備について説明する前に、そもそも、中途採用の面接は何のために行われるのかを確認しておきましょう。

中途採用の面接で、企業は応募者の何を知ろうとしているのでしょうか。

もっとも重要なのは、その応募者が即戦力となるかどうかです。

中途採用の場合、新卒採用と違って、企業が求める人物像はより具体的です。企業側には「この部署で、こういうポジションで、こういう仕事をしてくれる人が欲しい」という明確なニーズがあります。

企業は書類選考で「この人なら、当社の期待に応えてくれるかもしれない」と判断すると、その応募者を面接に呼びます。そして面接で、より詳しく、**どれくらい当社のニーズに応えてくれそうな人か、また当社の利益に貢献してくれそうな人か**どうかをチェックするのです。

そしてもうひとつ、企業は面接で**応募者の人間性を知ろうとします。**

会社にはそれぞれの風土があります。その風土のなかで、他の社員とうまくやっていけそうな人か、一緒に仕事をしたいと思えるような人かをチェックするのです。

どんな仕事も、人と人とのやりとりで成り立っています。仕事の知識や実力がどんなにあっても、人間性が悪ければまわりの人から信頼を得ることはできず、ビジネスはうまくいきません。そこで、企業は面接で、「当社のニーズに合っているかどうか」と同時に、応募者の「人となり」もチェックするのです。

面接は「商談の場」であり、チェックの場でもある

といっても、面接は応募者が一方的に企業の査定を受ける場ではありません。

面接はいわば「商談の場」。応募者にとって、面接とは企業のニーズに自分がどれだけ合致した人間かをアピールする場なのです。

たとえば応募先の企業がコミュニケーション力の高い人を求めている場合、自分のコミュニケーション力を証明するエピソードを、これまでの仕事の経験のなかから拾い出して、わかりやすく伝える必要があります。

また、面接全般において、面接官とのコミュニケーションをうまくとっていくことも重要になるでしょう。

つまり面接とは、提案営業に例えるなら、応募者が企業に対して「自分がどれだけ企業に貢献できる人物か」を売り込む場であり、企業側は「買ってよいか」を判断する場なのです。

そしてもうひとつ、応募者にとって面接は**情報収集の場でもあり、チェックの場でもあります**。

今後、自分が働いていく場としてふさわしい会社かどうか、3年後、あるいは5年後のビジョンを達成させるために適した職場か、生き生きと活躍できそうな場所かなどを、採用担当者とのやりとりのなかから確認していくのです。

まずは気持ちを「ポジティブ」に切り替えよう！

前の会社や仕事に対する不満を抱えたままでは、面接も転職活動もうまくいかない！

企業が欲しいのは「前向きな人」

面接の準備として、まずやってほしいのが「気持ちの切り替え」です。

あなたはいま、どんな気持ちで転職活動をしていますか？　前の会社や仕事に対する不満を抱えたまま、転職活動をしていないでしょうか？

転職には、キャリアアップを図るためのポジティブな転職と、前の会社や仕事に対する不満解消のためのネガティブな転職があります。

理想はポジティブな転職ですが、現実にはネガティブな転職をする方が少なくありません。仕事にやりがいを感じられない、社内の雰囲気が悪いなど、何らかの不満をきっかけに「転職してみよう」と思う人が多いのです。なかにはリストラや派遣切りで会社を辞めざるを得なかった人、突然のグループ会社への異動など、あからさまな「肩たたき」にあい会社にいにくくなった、という人もいるでしょう。

このような場合、ついマイナスな気持ちを引きずったまま転職活動をしてしまいがちです。

しかし、それでは面接も、転職活動そのものもうまくいきません。

なぜなら、**面接に通過するのは「前向きな姿勢」の人だからです**。仕事へのやる気や意欲に満ちている人を、企業は欲しがっているからです。

また、面接に限らず転職活動全般にわたっても、「私はいまよりもっと生き生きと仕事をするために転職するのだ」「どうせなら、転職活動を楽しんでしまおう」といったポジティブな気持ちで挑んだほうが断然うまくいくでしょう。

よって、もしあなたがマイナスな気持ちを抱えているとしたら、プラスの気持ちに切り替えてほしいのです。

不満をすべて紙に書き出してみる

といっても、気持ちの切り替えは簡単にはいかないかもしれませんね。

私のところに転職の相談に来られる方には、口頭で、一度すべての不満を話してもらいます。相談者の方は、すべての不満を吐き出すと、スッキリすると同時に自分が沢山の不満を抱えていることを自覚されます。そして**「このようなネガティブな気持ちのまま転職活動をしてもうまくいかなそう」**と気づき、気持ちの転換をされる方が多いのです。

これをひとりでやる場合には、一度、いま抱えている会社や仕事に対する不満をすべて紙に書き出してみるとよいでしょう。だれかに見せるわけではないので、正直な気持ちをすべて書き出してみます。

そして書き出したものを、読んでみます。実際に書いてみると、客観的に自分の気持ちを眺められるようになるはずです。マイナスの気持ちを沢山抱えている方は、そのことをきっと自覚できるでしょう。

また、面接を前にして緊張をしている方も少なくないかもしれません。

しかし、面接に呼ばれたということは、**履歴書や職務経歴書などの書類上では「ＯＫ」を出されたということ**。書類審査の高い競争率を突破したのですから、ぜひ自信をもって（過度な不安は取り除いて）面接に挑んでください。

「この転職で何を達成させたいか」をまとめておこう

転職を成功させるコツのひとつは、将来のビジョンをしっかり立てること

3年後、5年後のビジョンをまとめる

転職活動に対する気持ちを前向きなものにしたら、次は「将来のビジョンをまとめる」作業をしていきましょう。

3年後、あるいは5年後、自分はどのような業界で、どのような形で、どのような仕事をしていたいか、というビジョンをまとめます。また、このビジョンを達成させるためには、そのときまでにどのような力をつけておかなければならないかを考えます。

実はこれは、企業選びや履歴書・職務経歴書を書く段階でしっかりまとめておくべきことなので、「今更……」と感じる方もいるかもしれません。

しかし、**ここで改めて将来のビジョンをまとめておけば、「この転職で自分は何を達成させたいのか」を再確認できます**。そしてそれは、面接を通過するためにも、また転職そのものを成功させるためにもとても大事なことなのです。

将来のビジョンはどうやってまとめる？

将来のビジョンをまとめるときには、次のような流れにできるのが理想です。

3年後、○○○の業界で、○○○のような形で、○

○○のような仕事をしていたい。そのためには、○○のような力をつけておく必要がある。

↓

よって、このビジョンを達成させるために転職する（いまの会社にいたのではできないから）。

↓

これから面接を受ける企業を選んだ理由は、自分のビジョン達成のために役立つと考えたから。

たとえばある方は、将来のビジョンとして「3年後には会社のなかで自分の強みを生かした仕事をし、責任ある仕事を任されるようになっていたい」と考えました。色々と調べた結果、ＩＴの知識と英語力、営業力の3つを併せもった人は少ないが需要はある、と知りました。この方はすでに英語力はあったため、転職先を「ＩＴ業界での営業職」としたのです。

この方のビジョンを先程の流れでまとめると次のようになります。

3年後には、会社のなかで自分の強みを生かした仕事をしていたい。そのためには、ＩＴの知識と営業力を身につけておく必要がある。

↓

このビジョンを達成させるために転職する！
（いまの会社ではルーティンワークが主流なので、自分の強みを生かした仕事のやり方はできなさそう。ＩＴの知識も身につけられない）

↓

応募企業を選んだ理由は、ＩＴの知識と営業力を身につけられるところだから。

さて、あなたはこのような形で、将来のビジョンをまとめることができるでしょうか。**面接を通過するためには、そして後悔しない転職をするためには、ここをきちんとまとめておく必要があるのです。**

準備！

なぜ、「この転職で何を達成させたいか」をまとめておく必要がある？

将来のビジョンをまとめることは、面接に通過するために必要

場当たり的な転職にしないため

ところでなぜ、面接の準備の段階で改めて将来のビジョンをまとめておく必要があるのでしょうか。

ひとつは、**今回の転職を後悔しないものにするため**です。いまの会社や仕事に対する不満解消のためだけの、場当たり的な転職にしないためには、将来の目標を見据えて転職活動をする必要があるのです。

面接官を納得させるため

もうひとつは、面接官のニーズに応えるためです。

面接官が応募者についてもっとも知りたいのは、「これまでこの応募者はどういう仕事をしてきたのか？（＝どのような仕事ができるのか？）」ですが、ほかにも「どうして前の会社を辞めたのか？」「将来はどのように考えているのか？」なども知りたいと思っています。

そして**「なるほど、だから前の会社を辞めてうちの会社に応募してきたのだな」と納得できるような人を採用したい**と考えています。だから、面接官は面接で志望動機や退職理由、将来の目標などを質問するのです。これらの質問に対して、面接官が納得するような答えにするには、やはり将来のビジョンをまとめておくことが不可欠なのです。

なぜ、将来のビジョンをまとめる必要がある？

これまでどのような仕事を
してきたのだろう？

どうして前の会社を辞めたのだろう？

どうしてうちの会社を
希望しているのだろう？

なるほど！

だからうちの会社を
希望しているのか！

**面接官が納得できるような流れで話せる
のがベスト！**

準備！

企業のニーズを知らなければ、面接は突破できない！

面接は、自分がいかに企業のニーズに合っているかをアピールする場

企業のニーズにマッチした部分が「売り」になる

面接は自分の「売り」をアピールしていく場です。

これに対して「そもそも自分の何が売りになるのかわからない。自分にはアピールポイントなどない」と嘆く声をよく聞きます。

そこで、ここでは面接において自分の何をアピールすればよいのかを考えていきましょう。

結論から言ってしまうと、**面接でアピールするべきなのは、企業のニーズにマッチした部分です。**

中途採用を行う企業には、必ず「こういう人が欲しい」というニーズがあります。

たとえばある企業が営業職を募集していて、求人情報には「明るく快活な人を求む」などと書かれていたとしましょう。

この企業が欲しいのは、できれば営業経験が豊富で明るく快活な人です。

応募者がアピールするべきなのは、営業の経験（あるいは営業職に生かせるような職務経験）があること、そして自分のなかの明るく快活な部分です。

たとえこの応募者が、自分では地味な作業をコツコツとやり続けるのが得意と思っていても、あるいは英語力が抜群に優れているとしても、**そこに応募企業のニーズがなければアピールにはならないのです。**

つまり、面接で何をアピールするべきかを知るた

めには、まずは応募企業のニーズを調べる必要があります。そして、そのニーズに合致している部分があなたのアピールポイントになるのです。

何をアピールするべきかのヒントは、企業情報のなかにある

企業のもっとも大きなニーズは、応募職種についての実務経験です。しかしそれ以外にも、たとえば「英語力のある人」「コミュニケーション力の高い人」「何事にも積極的に取り組む人」など、企業のニーズは多くあり、その内容は企業によって異なります。

応募先の企業のニーズを一つひとつ丹念に探っていき、自分に当てはまる部分はないかを見ていくことでアピールポイントは探し出せるのです。

私のところに転職の相談に来られる方のなかにも、「自分には何も売りがない」とおっしゃる方は少なくありません。しかし一緒に応募企業の求人情報を読み込み、「この企業はこういう人を欲しがっているようだけれど、過去に似たような経験はなかったですか？」と聞くと、「そういえば……」と思い出す方が多いのです。「まったく同じではないけれど、似たような流れで仕事をしたことがある」「この部分では評価された経験がある」などというように。

このように、**自分の何をアピールしていくべきかは、求人情報を中心に、応募企業のあらゆる情報を読み込んでいくことで見えてくるのです。**

準備！

応募企業のニーズはどうやって調べる？①

応募企業の求人情報を丹念に読もう。そこには企業のニーズが書かれている

求人情報から企業のニーズを読み取る

では、応募企業のニーズはどうやって調べたらよいのでしょうか。

最初に必ずやってほしいのが、**応募企業の求人情報を隅から隅までチェックすることです。**

とくに「リクナビNEXT」「マイナビ転職」「doda」など、転職サイトに掲載されている求人情報には、その会社の事業内容、従業員数、設立年などの基本情報をはじめ、募集の背景、仕事内容、求める人材のタイプなど多くの情報が盛り込まれています。

これらは応募する企業を選ぶとき、また履歴書・職務経歴書を書くときにすでに読んでいると思いますが、面接前にもう一度「この企業はどんな人を求めているのか？」という視点で読み込んでいきましょう。

求人情報のなかでとくに注目したいのは次の箇所です。

【募集の背景】

ここには、今回なぜこの企業が求人を出しているのかが書かれています。新しいセクションをつくろうとしている、事業拡大に向けての増員、元々そのポジションにいた人が辞めてしまい補充を求めている場合など、その背景はさまざまです。

注意深く読むと、ここにも企業のニーズが隠れています。

たとえば増員のための募集の場合、その企業は規模を大きくしようと考えている可能性が高くなります。この場合、この企業は「会社と共に自分も成長したいと考えている人、そのためにとにかく何でもやってみようという意気込みのある人」を望むでしょう。

【仕事の内容】【求める人材】

ここには、入社後どういう仕事をしてもらいたいのか、どういう人物を求めているかといった企業のニーズがストレートに書かれています。かなり細かく書いてある場合もあるので、一つひとつ丁寧にチェックしましょう。

過去に同じような経験があれば、それはあなたのアピールポイントになります。

【社員の写真】

「社員の紹介」として、写真付きで社員が登場している場合があります。この**写真に写っている社員の雰囲気は、その企業が求めている人物のイメージに近い**と考えてよいのです。

たとえば30代の熱血風な営業担当者の社員が載っていたら、それは企業の「当社はこんな熱い人を募集しています」というメッセージです。

また、社員旅行の写真など、社員同士の楽しい写真が出ている場合には、「当社はこんな和気あいあいの会社です。そんな雰囲気に馴染める人を求めています」というメッセージだと考えてよいでしょう。

このほかにも、求人情報に書かれているメッセージは丹念に読み込んでください。たとえば求人情報に会社の代表のことばかり書かれている会社はワンマン経営の可能性が高いなど、その会社の社風が見えてくる場合があります。「このメッセージの意味するところは？」と考えながら読むことも大事です。

準備！

応募企業のニーズはどうやって調べる？②

仕事の流れをイメージして、そこで何を期待されるかを考えよう

【仕事の内容】に着目する

求人情報のなかの、企業のニーズを知るためにとくに注目すべき箇所のひとつである【仕事の内容】について、もう少し詳しく見ていきましょう。

ここをしっかり読み込んで、その仕事は企業のなかでどういう位置にあり、仮にあなたがその仕事をするとしたらどういう流れで行うことになりそうかを想像してみてください。なかには、「○○の営業」などと簡単にしか書かれていないこともありますが、その場合は他の情報（扱っている商品、お客様の層、企業の規模など）と掛け合わせて想像してみます。

たとえば同じ営業職であっても、半導体の部品を扱う会社の営業なら、メーカーの技術部門に営業に行くでしょうし、食品会社の営業ならスーパーなどに営業に行くことになるでしょう。このように同じ職種でも、お客様の層、売上規模、スピード感などはそれぞれ異なります。「営業はこんな感じ」などといった固定観念は捨てて調べてみてください。

企業のホームページ・新聞をチェックする

仕事の内容、流れをイメージするときには、広い視野をもつことも大事です。会社には、それぞれ社会的使命があり、その上で利益を上げるという目的

があります。会社のなかの仕事はどんなものも、その目的を達成させるためにあるのです。

つまり、**今回あなたが応募している仕事も、会社全体のなかで果たすべき役割が必ずあります。**それが何なのかが見えてくると、そこで働く社員に求められるものも見えてきます。クライアントから期待されるものは何か、上司や同僚から期待されるものは何かなども見えてくるでしょう。

これが見えてくるようにするには、やはり情報収集が大事です。企業のホームページで企業理念を見てみる、インターネットで検索してみる、企業や業界に関連する新聞記事を読んでみるなど、より広い視野で情報収集にあたってみてください。

「現場」にはあらゆる情報が転がっている

「現場」に行ってみるのも、とても大事です。たとえば販売なら店舗へ出向いて「販売の視点」で観察する、ホテルの仕事ならラウンジなどに行き「接客する視点」でサービスを受けるなどするのです。

私が「現場が大事」と感じたのは、実は私が新卒で入社した会社を辞めるときでした。当時の私は、あるメーカーの輸出部で事務職として働いていました。簡単にいうと、受注した部品の出荷手続きを行う事務作業です。会社を辞めるにあたって、それまで主に電話やメールでやりとりしていた港の事務局の方たちに挨拶に行ったのです。そこで初めて、自分が出荷の指示を出していた部品がどのように船に積み込まれ、海外に向けて発送されるかの工程を見ました。また、そこでの社員がどのように仕事をしているかも見たのです。このとき、現場には多くの情報が転がっていることを実感しました。そしてもっと前にこの現場を知っていれば、私なりにもっといろいろと仕事の工夫ができたなとも感じたのです。

なのでぜひ、あなたも現場を訪ねてみてください。きっと有益な情報が拾えるはずです。

準備！

どこの企業でも共通して求められるものとは？①

会社や業務のなかの問題点を発見、改善した経験は、どんな企業でも「売り」になる

「仕事を改善できる人」はどんな企業でも求められる要素

採用者が求められるものは企業によってさまざまです（よってここまでは、求人情報など企業の情報から企業のニーズを探る方法をお伝えしてきました）。しかし一方で、どこの企業でも、またどんな職種でも求められる共通のニーズというものもあります。

　そのひとつが、**主体的に仕事の改善ができる人**。仕事をしていくなかで、ここは改善するべきという点を発見でき、ではどうすればそれを改善できるかという具体的な方法を提案、それを実行に移し、解決にもっていける人です。

　よって、これまでに仕事の改善をした経験があれば、それはひとつのアピールになります。**改善といっても大きなものである必要はありません。**会社のなかでどこを改善したほうがよいと思ったのか、それに対して自分がどのような工夫をしたのか、その結果どのように解決したのか、周囲の人の反応はどうだったかなどを具体的に語ることができれば、日々改善の姿勢をもって仕事をしてきたということが伝わるでしょう。

　小さなことでもよいので、これまでに仕事の改善をした経験はなかったかをぜひ探ってみてください。

「仕事の改善」のアピール例とは？

たとえばこんな改善！ その 1

Aさんは、部署の社員同士のコミュニケーションがあまりうまくとれていない、と感じていた。もう少しスムーズにやり取りができれば、部署全体の仕事の効率も上がるはず、と考えた。そこで、2週間に1回、部署の社員全員が顔を合わせて互いの進捗状況を報告するミーティングを開くことを上司に提案。お互いの仕事の状況を把握できたことで、社員同士のコミュニケーションがとりやすくなり、互いに協力する姿勢も生まれた。

たとえばこんな改善！ その 2

Bさんは経理部で部署のマネージメントも任されていた。月末、月初、決算などの繁忙期などは属人化する業務が多いので、経理部の社員の仕事量ができるだけ平均化するよう調整を心掛けた。繁忙期はみんなで協力しあえる雰囲気をつくり、それ以外の時期は調整をして、できるだけ残業が出ないように工夫。社員が互いにストレスをためないようなスケジュールの組み方をした。

「仕事の改善」といっても大げさなものでなくてもいいのです。
小さな改善でも具体的に語ることができれば、仕事への姿勢をアピールできます。

準備！

どこの企業でも共通して求められるものとは？②

業界・企業を問わずに求められるのがコミュニケーション力

どんな仕事でもコミュニケーション力は必要

どこの企業でも、「主体的に仕事を改善していく力」と同じくらいに求められるのが**コミュニケーション力**です。

クライアントとのやりとりはもちろん、社内の人ときちんとコミュニケーションをとれるかは非常に重要視されます。

社内の人とうまくコミュニケーションがとれていれば、自分の仕事がどんな意味をもっているのかがわかります。わからないことや問題が発生したときにすぐに他の社員に相談できたり、仕事の交渉ができるというのは、仕事を効率的に進めるうえで重要な要素です。よって、業界・企業を問わずどんな仕事にもコミュニケーション力は求められるのです。

求められるコミュニケーション力の「質」は、企業によって異なる

ただし、**求められるコミュニケーション力の「質」は、企業、また年代によっても異なります。**たとえばある企業では、営業スタッフと営業事務スタッフとの円滑なコミュニケーションを求められるかもしれませんが、別の企業では部署間の調整を含むコミュニケーション力を求められるかもしれません。

あなたが応募している企業ではどのような質のコ

ミュニケーション力が求められるのかは、求人情報をよく読み込むことで見えてきます。応募先の企業ではどのような仕事をすることになるのか、そこで期待されるのは何かを考えてみましょう。

また、応募者の年代によっても求められるコミュニケーションの質は変わってきます。「わからないことがあったらすぐに聞けます！」というアピールは、20代前半なら通用しますが、30代後半ではできて当然なので通用しません。それよりも、30代後半は部下や後輩に仕事を教えること、指導することを期待されるのです。

年代別、企業が求めるタイプとは？

企業が応募者に求める共通のニーズはほかにもありますが、それは次のように応募者の年齢によって変わってきます。

【20代】……やる気、意欲、瞬発力、元気がある人。言われたことに対して、基本的に何でも「やってみます」という積極性のある人。経験が浅い分、行動して結果を出せる人。

【30代】……実務経験のある人、マネージャーとしての将来性がある人、前向きな人、まわりによい影響を与えられる人。

【40代】……後輩、部下への指導ができる人、人の管理ができる人、プレゼンスキルのある人、中間管理職的に上に交渉ができる人、過去の経験や仕事のやり方にこだわりすぎていない柔軟な人、新しいものを柔軟に受け入れられる人、挑戦できる人、新しい環境に自ら馴染もうとする人。

【50代】……これまでの職務経験や人生経験から、自分の仕事に対する信念・軸をもっている人。自分の世の中での役割を自覚している人。それらを、「これまでこういう経験をしてきたので、皆さんにこういう影響を与えられると思う」などと、自分の言葉で語ることができる人。

準備！

「これまでどんな仕事をしてきたか」をまとめておこう

これまでの経歴を振り返り、「どんな仕事ができるか」をまとめておこう

これまでの仕事を詳細に振り返ろう

中途採用の面接で面接官がもっとも知りたいことのひとつは、この応募者は「どんな仕事ができるか？」です。面接の場で、「私はこのような仕事をしてきました」「私はこのような仕事ができます」としっかり伝えられるように、次の手順で、これまでの経歴を振り返り、紙にまとめておきましょう。

①**経歴を振り返る**……まずは、学校を卒業してから今日までに、どのような職場環境で、どのような仕事をしてきたかを時系列で振り返ります。

具体的には、会社名、入社日、配属先、配属先の環境（支店名、社員数名）、具体的な業務内容などです。業務はとくに細かく書き出しましょう。

異動、昇進、転勤などがあった場合、または転職した場合には、それに伴って仕事場の環境や業務内容がどう変化したかを書いていきます。

②**実績、成果を振り返る**……次に、それぞれの環境で具体的にどんな実績や成果を出したかを振り返ります。営業売り上げや利益率のアップ、経費削減の実現など具体的な数字を出せる場合には、それを書き出します。受賞歴、商品開発の実績、業務の効率化に貢献したことなどはなかったでしょうか。

③**専門知識、資格、スキル**……業務を通じて得た知識やスキルなどを書き出します。

キャリアの棚卸しをする！

20××年　株式会社○○不動産入社（従業員数○○人）
　　　　営業一部に配属

経歴

《業務内容》
大規模集合住宅の販売
・一般個人顧客に対する電話セールス（一日約○○件）
・住宅展示場でのご案内
・住宅展示場にお越しのお客様への商品説明、資金計画、契約、着工後のスケジュール管理、引き渡し
・住宅販売のトータル管理（情報提供～契約まで）
《地域》
東京都23区内（主に○○区、○○区）
《成果》
20××～××年……社内個人目標150%達成
20××年……支社内営業部員23名中2位で社長賞を受賞
（契約件数○件）

実績、成果

20××年　営業二部に異動、チーム責任者に

《業務内容》
・リフォームご希望のお客様のご要望をリサーチ
・提案内容を検討、作成→提案
・資金計画、契約、着工後のスケジュール管理、引き渡し
・部下6名のマネジメント
（6名の目標設定、行動計画、日誌チェック）
《成果》
200××～××年……社内個人目標130%達成
《資格》
宅地建物取引主任者（20××年○月取得）
《PCスキル》
Word、Excel、PowerPoint

専門知識、資格、スキル

「自分なりに工夫をした点」をまとめておこう

「仕事で自分なりに工夫をした点」はアピールポイントになる可能性が高い！

これまでどのように仕事をしてきたか、どのような工夫をしてきたか、を振り返ろう

これまでの「経歴」「実績・成果」「専門知識、資格、スキル」の3つをまとめたら、次はさらに細かく、自分のこれまでの仕事について振り返っていきましょう。

まずは、これまでに書き出した「経歴」のうち、業務に注目してください。そして、**「自分はどのようにこの業務に取り組んできたか」「どのような工夫をしてきたか」を考えてみます。**

たとえばルートセールスなら、業務は「顧客先に出向いて注文をとり、後日商品を届ける」というのがメインでしょう。しかし、その仕事への取り組み方は人それぞれ異なるはずです。

「仕事への取り組み方」「仕事への工夫」には、その人の個性、良さが表れる

以前、転職の相談でお会いした食品メーカーのルートセールス担当の方は、「より多くの注文を得るために、顧客先の担当者とのコミュニケーションを大事にしている」と話してくれました。

「顧客先の担当者には、商品の味を重視する人、価格を重視する人、スピードを重視する人などさまざまなタイプの人がいるので、そのタイプに合った売り込みをするのが受注を増やすコツです。ですから

営業のときには、担当者と積極的にコミュニケーションをとり、ときには雑談もするなどして、担当者のタイプを知る努力をしました」とおっしゃっていました。

つまり、この方は受注を増やすために担当者と積極的にコミュニケーションをとる工夫をしていたのです。コミュニケーションをより深めるために、担当者が知りたいと思っている情報の新聞記事やネットの記事をもっていくこともあったそうです。

単に「ルートセールスを担当して、毎月○円の売り上げを立ててきました」と言うより、どのような工夫をしてきたかを話すほうが、その人の良さが伝わると思いませんか。また、その人らしさが見えてくる気がしませんか。

このように、**「どのように業務に取り組んできたか」「どのような工夫をしてきたか」には、その人の個性が表れ、かつ良い部分が含まれている場合が多いのです。**

つまり、アピールポイントになる可能性も大なのです。

仕事へのこだわりも思い出してみよう

自分なりの「仕事のこだわり」にも、その人の良さが隠れている場合があります。

転職の相談でお会いした方のなかに、「どんなに小さな締め切りも絶対に守るようにしている」という方がいました。商品の納品はもちろん、「○月○日までに連絡します」といった約束期日、社内の総務や経理に出す書類の提出期限など、あらゆる締め切りを守り、これまでに一度も破ったことがないとおっしゃっていました。

この**「仕事へのこだわり」も、その人らしさがにじみ出ます。**ぜひ自分なりのこだわりを思い出してみてください。

準備！

第三者からの「お褒めの言葉」を思い出そう

お客様などから褒められた経験を思い出してみよう。そこには自分の良さが隠れている

上司やお客様に褒められた経験を思い出す

自分の長所は、案外自分ではわかりにくいものです。そこで、客観的な意見を参考にしてみましょう。これまでに、上司や同僚、お客様や取引先の人に言われた「お褒めの言葉」を思い出してみるのです。完全な「お褒めの言葉」でなくてもかまいません。あなたの仕事に対する「感想」のような言葉でもいいのです。それらの言葉のなかには、**あなたの長所、転職活動におけるアピールポイントが隠れている場合があります。**

たとえば上司から「キミはどんな仕事もコツコツと取り組むね」と言われたとしましょう。あえて上司が言うのは、上司があなたの「コツコツ」を評価しているといえます。

あるいは同僚の、「○○さんはいつもニコニコしているよね」という何気ない言葉。この場合、職場の雰囲気をよくしているムードメーカーである可能性もあるし、無意識のうちに「仕事を頼みやすい雰囲気」を出している可能性もあります。どちらにしても企業にはありがたい存在です。

あなたも、これまで上司や同僚などから言われてうれしかった言葉を思い出し、その言葉の裏に隠れている自分の長所を探ってみてください。

たとえばこんなことを言われたら……

お客様から

あなたがとても丁寧に対応してくれたので、
契約をしようと思いました。
どうもありがとう

具体的にどのような対応したのか、そのとき何を心掛けたのか、などを思い出してみましょう。自分ならではのアピールポイントが見つかる場合も。

上司から

キミは小さなことによく気がつくね

具体的にどのような点に気づいているのかを思い出してみましょう。自分は気づいて当たり前と思っていることが、意外とそうでなく、アピールポイントになる場合も。

同僚から

○○さんの説明、
いつもすごくわかりやすい！

誰かに何かを説明するときに心掛けていることを思い出してみましょう。そこに、アピールポイントが隠れている可能性も。

準備！

アピールポイントは、具体的なエピソードに落とし込む

面接の場では、具体的なエピソードで語ろう。それが「伝わる」コツ

具体的なエピソードって？

ここまで「面接で何をアピールしたらよいか」を探ってきました。

繰り返しますが、**面接であなたがアピールするべきなのは、応募企業のニーズにマッチしている点です**。仕事で工夫してきた点、第三者からのお褒めの言葉などを思い出すことで自分の長所が見えたら、それが応募企業のニーズにマッチしているかを必ず確認するようにしてください。

さて、自分のアピールポイントが何となく見えてきたら、次は、そのアピールポイントに関する具体的なエピソードを思い出しましょう。**自分の良さがよく表れている事例を探すのです。**

たとえば、あなたが「チームのマネージメントが得意」と感じているとしましょう。この場合、チームのマネージメントが得意ということを証明するような具体的なエピソードを見つけるのです。

たとえば私が転職相談にのった方のなかにも、「チームマネージメントが得意」という方がいました。この方は、ＳＥのプロジェクトチームリーダー経験者の女性。

ＳＥの仕事はとくに、各メンバーの仕事の進捗状況が見えにくいものです。そこで彼女は、チームのメンバー個々にこまめに声掛けをしたといいます。

仕事のちょっとした合間やランチのときなどに、「いま大変？」「何か困っていることはない？」などと聞くようにしていたそうです。仕事の実務的な面だけでなく、メンタル部分にも気を配るようにしていたそう。その結果チーム全体の稼働率が高くなった、というのです。

具体的なエピソードとはたとえばこういうことです。エピソードがうまく見つからない場合は、仕事で第三者とどういう関わりをもったかを思い出してみましょう。たとえば「仕事はいつでもきちんとこなしたこと」が自分の良さだと感じていたら、実際にほかの人からどのような協力を得たのか、そのときどのような頼み方をしたのかなどを思い出してみます。そのときの**「あなたの動き」が見えるような話ができれば、それもひとつの立派なエピソードになります。**

面接の場では、必ず具体的なエピソードで語る

ではなぜ、具体的なエピソードを探す必要があるのでしょうか。

面接官の立場になって、先ほどのSEの方の例を考えてみましょう。単に「チームマネージメントが得意です」と言われるより、具体的に語ってもらったほうが説得力を感じませんか。

具体的なエピソードで語ってもらうと、聞いている側はその人が実際に働いている姿を想像できます。面接官は「当社でもこんなふうに働けてもらえそうだな」ということがイメージしやすくなるのです。

自分が働いている姿を面接官が具体的にイメージできるように語ることは、面接を突破するための大きなポイントのひとつです。

準備！

面接でアピールしたいことを3つにまとめておこう

ここまでで考えた内容は、必ず紙に書き出してまとめておこう

きちんと考えておけば面接の不安は解消される

ここで、これまでの流れを一度おさらいしておきましょう。

まずは、**面接に挑む前に「この転職で何を達成させたいか」をしっかり考えてください**、とお伝えしました。次に、あなたが面接でアピールするべきなのは企業のニーズにマッチした部分であること、そのために企業のニーズを知る方法や、どんな企業でも共通するニーズを紹介してきました。

そして最後に、これまでの職歴を振り返る方法をお伝えしました。

実は、ここまでの流れをきちんと実践してもらえれば、「面接で何を話すべきか」は自然と見えてきます。面接で必ず聞かれるのは、退職理由、志望動機、3年後・5年後のビジョン、自己PRの4つですが、これらのどれを聞かれても答えに窮することはなくなるのです。

もう少し具体的に言えば、「この転職で何を達成させたいか?」をしっかり考えれば、その考えのなかに退職理由、志望動機、3年後・5年後のビジョンがあるはずです。また、企業のニーズを踏まえてこれまでの自分の仕事を振り返れば、そこに自己PRのネタがあるはずなのです。

面接でもっとも不安に感じることのひとつは、

「面接官の質問にどう答えればよいか？」という点だと思いますが、**ここまでの流れを実践してもらえれば、その不安も解消されるはずなのです。**

アピールしたいことは紙に書いてまとめておこう

この転職で何を達成させたいか、自分が面接でアピールするべきなのはどこか、などを考えたらその内容は必ず紙に書き出して整理しておきましょう。最初からきれいにまとめようとする必要はありません。漠然とした思いや感覚を、とにかく1枚の紙の上にすべて書き出すことで考えがまとまってくる場合もあります。

自分のアピールポイントは、できれば3つくらいあげておけるとよいでしょう。前項でお伝えしましたが、アピールポイントは必ず具体的なエピソードで話せるようにまとめておきます。

面接官の質問は想定せず、「面接でアピールしたいこと」をまとめておく

ときどき、この質問をされたらこう答える、あの質問をされたらこう答える、というように特定の質問に対して特定の答えを用意している方を見かけます。しかし実際の面接はもっと流動的で、言葉と言葉のキャッチボールで進んでいきます。つまり、この質問をされたらこう返すと決めてしまうと、想定していた質問をされなかったときに、アピールするべきことを言えずに面接が終わってしまう可能性もあるのです。

よって、面接で何を話すかを考えるときには質問を想定しないほうがよいでしょう。それより、**「これはぜひ面接でアピールしたい」と考えるものを3つくらいまとめておき、**面接の場で臨機応変に答えていくようにしたほうがよいのです。

筆記試験の準備を忘れずにしておこう

事前の連絡なしに、「面接」と同じ日に筆記試験が実施される場合もある

筆記試験の結果が、合否の決定的な要因になる場合も！

中途採用の選考は、履歴書・職務経歴書の書類選考と面接が中心ですが、企業によっては筆記試験を実施するところもあります。

選考でもっとも重視するのは書類と面接、筆記試験はこれを補完するもの、また客観的な判断材料を増やすことで採用ミスを少なくするもの、としている企業が多いようです。しかし筆記試験の結果があまりに悪ければそれで落とされてしまう場合もあります。

また、とくに応募が殺到する企業では「ふるい落とし」のために筆記試験の点数を重視する傾向があります。

求人情報などで選考プロセスを公開し、そこで筆記試験を行うことをあらかじめ告知する企業もありますが、**なかには事前の告知なしに、面接のときにいきなり筆記試験を実施する企業もあります。**基本的には、中途採用でも筆記試験がある企業が多いと考え、しっかり対策を立てておきましょう。また面接には、筆記用具も忘れずに持参しましょう。

筆記試験は、大きく分けて、知識を問う問題（一般常識・専門知識など）、能力適性検査、性格適性検査の3つに分けられます。内容と対策については次ページを参考にしてください。

一般常識・専門知識関連

一般常識では、国語、数理、英語などの基本的な教養問題と政治、経済、国際情勢などの時事問題、一般社会常識などが出題される傾向にあります。

専門知識では、業界や職種の特殊な能力や知識が問われます。

対策

一般常識は、新卒向けに市販されている「一般常識問題集」を最低でも１冊はチェックしておきましょう。

また、時事問題も多く出されます。新卒向けの「時事用語集」でポイントをチェックすると同時に、毎日必ず新聞に目を通し、日頃から政治、経済、国際情勢などに興味をもつことも大切です。

能力適性検査

実社会で仕事をするうえで必要な基礎能力があるかどうかを見る検査。代表的なのはSPI試験。SPIの能力適性検査は、言語能力検査（基礎的な語彙力、文章読解力などを問う問題）と非言語能力検査（基礎的な処理能力、論理的思考などを問う問題）からなり、さらに性格適性検査が加わります。

対策

能力検査は、難易度は中学、高校レベルのものですが、問題数が多く、試験時間が短いのが特徴です。たとえば出題数は40問で、試験時間は30分というものもあります。つまり、やさしい問題をすばやく正確に解く能力が求められるのです。

とはいえ、能力適性検査の代表であるSPIはとくに、出題パターンが決まっています。市販の問題集などで、繰り返し練習しましょう。

性格適性検査

達成意欲、活動意欲、持続性、独自性、ストレス耐性などをチェックし、その人の性格の特徴を読み取るもの。

対策

性格適性検査も、問題数が多く時間が短いという特徴があります。SPIの場合なら、問題数は約300問で時間は約40分。しかも全問回答することが必須になっています。

性格適性検査に対策はありません。正直に、素直に答えていきましょう。自分をよく見せようと取り繕った回答をすると、その矛盾が見つかるシステムになっている場合もあります。

面接に関する
素朴な
ギモン
Q&A

Q 面接の日時、変更をお願いしてもいい？

A 急に重要な会議の予定が入ってしまった、出張が決まってしまったなど、約束していた日時の面接にどうしても行くことができなくなってしまう場合もあるでしょう。

このように、正当な理由がある場合は、面接の日時を変更してもらってもOKです。行けないとわかったら、できるだけ早く先方に連絡しましょう。

先方に連絡する際は、まず、どうしても行くことができなくなってしまった旨を伝え、謝罪しましょう。そのあとで、「面接の日時を変更していただくことはできますでしょうか？」などと聞いてみます。

たいていは、了承してくれるはずです。

ただし、変更が可能なのは原則１回までです。次回の約束は絶対厳守と考え、日時の設定は慎重に行ってください。

Q 面接の時間に遅れそう。どうしたらいい？

A 約束の時間に１分でも遅れることがわかったら、その時点ですぐに訪問先の会社に電話を入れましょう。電話では、遅刻してしまう旨を伝え、丁寧に謝罪します。そして到着は何時くらいになるかを伝えましょう。このとき、時間はゆとりをもって伝えるのがポイントです。「３時半には着ける」と見込んだら、「３時45分にはそちらに着けると思います」などと伝えます。実際の到着が、伝えた時間よりオーバーしていると、相手の心証が悪くなるので要注意です。（→P.63参照）

Part

2

絶対知っておくべき
面接のマナーとは？

中途採用の面接はどのように行われる？

中途採用の面接の雰囲気は、企業によってかなり異なる。柔軟な対応をしよう

面接の回数は、2回～3回の場合がほとんど

PART1では、「転職してよかった」と思えるような転職にするための準備、また面接で何をアピールするべきかを中心に説明してきました。ここからは、もう少し具体的な面接対策として、中途採用の面接がどのように行われるのか、またその際の守るべきマナーや服装などについてチェックしていきましょう。

中途採用の選考の流れは「書類選考→面接→内定」が一般的ですが、企業によっては説明会が行われたり、面接の際に筆記試験が行われる場合などがあります。各企業の選考プロセスは、求人情報で公開されることが多いので、必ずチェックしましょう。

面接の回数は、企業によって異なりますが、多くは2回～3回程度、小規模な企業などでは「社長との面接1回のみ」という場合もあります。

面接のスタイルは2パターン

中途採用の面接のスタイルは、大きく分けてふたつあります。

ひとつは、企業の採用担当者と応募者が一対一で向き合って話す「**会話形式**」の面接。社内の会議室や応接室などで行われることが多く、あまりかしこ

まった雰囲気はありません。「今日も暑いですね」など、ざっくばらんな会話から自然と面接が始まる場合もあります。

もうひとつは、**もう少しかしこまった雰囲気で行われるパターン**。複数の採用担当者と応募者がテーブルを挟んで向き合い、質疑応答を繰り返していきます。

とはいっても、実際の面接の雰囲気は企業によってさまざま。形式的にはかしこまっていても、実際に面接が始まると和やかな会話になる場合もあります。面接にはさまざまな雰囲気があることを知っておき、柔軟な対応ができるようにしておきましょう。

また最近では、応募者が多数の場合、一次面接に集団面接を取り入れる企業も増えています。ここでは、一人ひとりがアピールできる時間が少なく、面接官からの一方的な質問が中心となり、第一印象が勝負となる場合もあります。

マナー!

面接は「第一印象」で90%判定される⁉

面接は「何を語るか」も大事だが、それ以前に見た目の印象が大事

面接で「見た目」は非常に重要

中途採用の面接に成功するには、自分がどれだけ企業のニーズにマッチしているかをアピールすること、また「本来の自分の姿」「自分らしさ」を出すことが必要ですが、もうひとつ忘れてはならない重要なポイントがあります。

それは**「見た目」の印象**。

採用担当者は、面接で、応募者の服装や態度などの「見た目」からも、「この人はどういう人なのか？」を判断しようとするのです。

「見た目」は、採用担当者の第一印象も左右します。

採用担当者は、応募者に会った瞬間の第一印象で応募者の90%のイメージを決めてしまう、そして面接の間はその印象が合っているかどうかを確認しているようなもの、とも言われます。

たとえば第一印象で「やる気がありそうな人だな」と思えば、その仮説が正しいかどうかを確かめるような質問をしていくし、逆に「やる気がなさそうだな」と感じれば、それを裏付けるための質問をしていくのです。

つまり、面接では、第一印象をよくすることが非常に重要なのです。

第一印象をよくするコツとは？

では、第一印象をよくするためには、どうすればよいのでしょうか？

まずは身だしなみ。髪形や服装、靴などは、必ず応募先の企業に合ったものをきちんと用意しましょう（詳しくは52、53ページを参照）。

もうひとつは、表情と態度です。

採用担当者が、面接で最初に見るのは応募者の表情です。硬くなりすぎず普段どおりに、できれば明るい表情がよいでしょう。**どんな企業でも、好感をもたれるのは「前向きでやる気のある人」です。その気持ちが表情に出せたら、なおＯＫです。**

また、肩の力を抜いてリラックスすることも忘れないでください。ただし、リラックスしすぎると失敗する場合もあるので要注意です。

採用担当者に好感をもとう

企業の採用担当者には、さまざまなタイプの人がいます。男性の場合もあれば、女性の場合もあります。終始穏やかな表情で話を聞いてくれる人もいれば、威圧的に質問をしてくる人もいます。

面接をうまく進めるコツのひとつは、どんなタイプの採用担当者であれ、その人に好感をもつこと。たとえ苦手なタイプであっても、「この人にも絶対よいところがある」と信じて、好感をもって面接に挑むのです。そうすれば、あなたは自然と採用担当者の話に耳を傾けるでしょう。そして、聞き手である採用担当者が理解しやすいような話し方を工夫するはずです。

そんなあなたに、採用担当者もきっと好感を抱くはずです。お互いが好感をもてば、コミュニケーションはよりスムーズに進むのです。

マナー!

面接の服装も企業のニーズを考えて決める

企業にはそれぞれ「こういう雰囲気の社員が欲しい」というニーズがある!

服装が合否を左右する場合もある

以前、私のキャリアカウンセリングに「いつも面接で落とされてしまうので相談したい」とおっしゃる方が来ました。彼女は、創業年数の長い企業の経理職を希望し、それまでに何社か受けていました。書類や筆記試験は通過するのに、なぜかいつも面接で落とされてしまう、と言うのです。私は彼女に「カウンセリングにいらっしゃるときに、面接のときの服装で来てください」とお願いしました。

そしてカウンセリング当日。彼女が「よろしくお願いします」と言って部屋に入ってきた瞬間に、面接で落とされてしまう原因がわかった気がしました。彼女は華やかなワンピースを着ていて清潔感もあり、一見、どこにも問題はないように見えました。しかし、彼女の醸し出す雰囲気は、応募する企業のイメージとはかけ離れている気がしたのです。

創業年が古く、社風が保守的な企業は、女性社員は制服着用で、第一線での活躍より、男性社員のサポート役を期待しているところも少なくありません。さらに経理は、コツコツと地味な仕事を正確にこなさなければならない場面もあります。他の社員に知らせてはいけない社内の情報も多く抱えています。

一方、彼女の服装や髪形、話し方などは、明るくてよいのですが、少し軽く、派手な印象を与えるものでした。彼女が応募する企業で働くというイメージがうまくわかなかったのです。

彼女がこれまで受けた企業の採用担当者もきっと同じことを感じたのではないか、「経歴はよいけれど、うちの会社でコツコツ働くタイプではないな」と判断したのではないか、と私は感じました。

そこで対策を練りました。まず、彼女がこれから受けようとする企業の求人情報をチェック。とくにそこに出ている写真の女性社員の雰囲気に注目しました。そして、彼女の服装や髪形、メイクをその女性社員の雰囲気に近いものに変えてもらったのです。また、コツコツ、淡々と、正確に仕事を進める人のイメージを頭に描いてもらい、そのイメージに近い態度や話し方を面接でも心掛けてもらいました。

するとその後、彼女は何社かの面接を通り、結局第一志望だった卸し会社から内定をもらうことができました。

「無理な演出」になっていないか？

彼女のように、「見た目」の雰囲気や態度が原因で面接に落とされてしまっている例は意外に多くあります。

つまり、**外見や態度も企業のニーズに合わせて演出することが案外大事なのです。**

とはいっても、その「演出」が自分にとって無理のないものかどうかの確認は必要です。本当は自分はコツコツ仕事を進めるタイプではないのに、無理に「コツコツタイプ」を演じ、それで面接を通ったとしても、その後の仕事は辛いだけです。そもそも企業のニーズに、自分はどれだけ合っているのか、企業のニーズに合わせた「演出」をしたときに違和感はないか、などの確認は必ずとりましょう。

面接の服装の基本とは?

顔

髭は、たとえきちんと手入れしていても基本的にNG。きれいに剃っていきましょう。汗かきの人は、面接前に額の汗を拭くことを忘れずに。

髪型

清潔感のある髪型に。伸び放題になっていないか、寝癖がついていないか、ボサボサになっていないかなどをチェック。面接前には、肩のフケもチェックしましょう。

アクセサリー

男性は装飾用のアクセサリーはすべてはずすのが基本。時計はカジュアルすぎるものなら外しておきましょう。

手先

男性でも意外に見られています。爪は必ず短く切り、清潔にしておきましょう。

靴

面接の前日に必ずきれいに磨いておきましょう。足元も意外に見られています。踵や底がすり減っていないかも要チェックです。また、白の靴下はNG。スーツと靴に合わせた色のものを選びましょう。

服装

スーツにネクタイが基本。ワイシャツはアイロンをかけ、襟元の汚れなどがないものを。スーツはヨレヨレになっていないか、季節に合ったものかをチェック。

鞄

ビジネスライクな鞄で。余計な荷物は面接会場に持ち込まないのが基本です。

男性

顔

きちんとお化粧をしましょう。健康的に見える化粧が基本です。あまり派手になりすぎないように。かつ、応募企業のニーズを考えましょう。たとえば化粧品関連の企業なら、常識的な範囲でおしゃれなメイクをする工夫が必要です。

アクセサリー

派手になりすぎないシンプルなものがおすすめです。数も少なめで。1点のみにするか、多くても2点におさえましょう。また、香水は面接官に不快感を与える場合があります。とくに香りの強い香水はつけないのが基本です。

手先

意外に見られているのが爪です。手入れされていない伸ばしっぱなしの爪、マニキュアのはがれなどは相手に不快感を与えます。また、派手すぎる色のマニキュアやネイルアートもマイナス印象を与える場合があります（業界によっては可）。マニキュアは薄い色が基本です。

靴

面接の前日に必ずきれいに磨いておきましょう。足元も意外に見られています。踵や底がすり減っていないかも要チェックです。カジュアルすぎる靴は避けましょう。

女性

髪型

清潔感のある髪型が基本です。伸び放題になっていたり、前髪が目にかかるなどして暗い印象になっていないかをチェック。女性はとくに髪型で印象が変わります。応募先の企業・仕事をイメージしましょう。そのイメージとあまりにかけ離れた髪型（たとえば食品を直接扱う企業で、ロングの茶髪など）は、損をしてしまう場合もあります。

服装

ビジネスライクなものを着用。応募先企業の女性社員の雰囲気に近いものがベストですが、よくわからない場合にはスーツが無難でしょう。ただし、スーツの色とデザインは、応募企業のニーズを考えてこだわってください。

鞄

ビジネスライクな鞄で。余計な荷物は面接会場に持ち込まないのが基本です。

マナー!

面接の前日、何を準備すればいい？

書類選考に通過した履歴書・職務経歴書と、求人情報をもう一度チェックしよう

職務経歴書、求人情報を見直し、企業のニーズにあった雰囲気をイメージしよう

さて、いよいよ面接本番が目前というところまで来たら、**もう一度、書類選考に通過した履歴書・職務経歴書の中身をチェックしておきましょう。**

面接は、事前に提出された履歴書・職務経歴書をもとに進められるのが一般的です。面接のときに話す内容が、書類の内容と矛盾しないように注意してください。

また、**応募企業の求人情報も改めて見直しておきましょう。**応募企業ではどんな人を欲しがっているのかを、そこに載っている社員の写真などから確認しておきます。そして、その外見、雰囲気、ふるまいなどをイメージして、本番の面接ではそのイメージで挑みましょう。

また、求人情報には企業のニーズを表すキーワード（たとえば臨機応変、前向きなど）が多く散りばめられています。**面接で答えるときには、敢えてその言葉を入れていくとよいでしょう。**

そして、面接には余裕をもって挑んでください。

「とにかくどこでもいいから採用してほしい」「入らせてほしい」といった焦りが感じられる応募者を採用側は好みません。内心では焦っていても表に出さないようにし、むしろ多少の余裕を見せるほうが好感をもたれます。

面接の前日にやるべきこととは？

1

書類選考に通過した履歴書・職務経歴書の
内容をチェックする。

2

応募企業の求人情報を見直し、
企業のニーズを表すキーワードをチェック。

3

求人情報の文面や社員の写真などから、
求められている人物像の外見、雰囲気、
ふるまいをイメージする。

4

不安や危機感は払拭。
少し余裕のある雰囲気をイメージをする。

応募企業で求められている人物像をイメージしたら、そのイメージのまま面接に挑みましょう。

マナー!

面接官とのコミュニケーション、何に気をつけるべき?

面接官はこの質問で何を聞きたいと思っているのか、それを考えて答えよう

気をつけるポイントは主に4つ

企業が中途採用の面接を行うのは、応募者が即戦力となるかどうか、また応募者の人間性を知るためです。面接官はこのふたつを知ろうとして、応募者にあらゆる質問を投げかけ、その受け答え方、態度、話す内容などをチェックするのです。そしてそれは面接官と応募者とのコミュニケーションを通じて行われます。

では、このコミュニケーションの場で何に気をつけるべきなのか、そのポイントを確認しておきましょう。

【ポイント1／面接官の質問の意図を考える】

コミュニケーションの場で何より大事なのは、まずは相手の話をきちんと聞くことです。

面接の場なら、まずは面接官の話すことをきちんと聞きましょう。その上で、面接官はこの質問で何を聞きたいのか、を考えます。

たとえば「あなたの短所はどこですか?」という質問をされたとしましょう。面接官が知りたいのは、この応募者は自分の弱みをどれだけ自覚していて、その弱みを補うためにどのような努力や工夫をしているか、ということです。ここを考えずに「短所は?」という質問をストレートに受け止めてしまうと、たとえば「一度落ち込むと何も手につかず、ケ

アレスミスが多発します」など、面接の場にはふさわしくない内容を言ってしまうことになります。

【ポイント2／書類の内容以上のことを語る】

ときどき、面接官の質問に対して、職務経歴書などの書類に書いてある内容だけをそのまま答える人がいます。でもこれでは面接の意味がありません。同じことをアピールするとしても、別のエピソードをもってくる、話の角度を変えるなどしましょう。

また、たとえば「あなたの長所は？」という質問に対して、「私の長所は○○です」だけで終わってしまう人もいます。この場合なら、なぜそれを長所と思うのか、この強みをどう生かしていきたいと考えているのかまでを語りましょう。

面接での質問に対しては、すべて自分のアピールにつながるような内容を答えるべきです。

【ポイント3／空気を読む】

面接では書類の内容以上のことを語るのが大事ですが、一方で「話しすぎ」も注意が必要です。面接官の方の話でよく聞くのが、「話が長過ぎて疲れた」というもの。聞き手のことを考えずに、一方的に長々と話し続ける人が少なくない、といいます。聞き手が飽きていると感じたら、早めに話を切り上げることも必要です。

コミュニケーションはお互いに空気を読みながら進めるのが理想です。空気を合わせるひとつのコツは、話すスピードを相手に合わせること。面接官がゆっくり話す人なら、答えるときも比較的ゆっくり話す、テキパキ話す人ならテキパキ答えてみてください。

【ポイント4／面接官の立場を考える】

面接官となる人の立場は、企業や面接の段階によって変わってきます。人事の人がなる場合、現場の人がなる場合、社長がなる場合などさまざまです。たとえば人事の人に現場の専門用語を話してもよく伝わらない場合があります。面接官の立場を踏まえて、臨機応変に話す内容を変えていきましょう。

面接に通る人と通らない人の違いはどこにある？

受け答えは多少たどたどしくても構わないので、自分の言葉で話そう

自分の「本来の姿」を出せたかどうか？

面接に通る人には、ある共通点があります。ひとつは、企業のニーズにマッチしていること。どんなにすばらしい実績をもっている人でも、また人間的に魅力ある人でも企業のニーズや社風に合わなければ面接は通過しないのです。

もうひとつは、面接で**「本来の自分の姿」「自分らしさ」を出せること**。

企業の採用担当者は、応募者の本当の姿を知りたいと思っています。面接用の「着飾った姿」「取り繕った姿」ではなく、現場で一緒に働くことになったとき、どんな働き方をしてくれる人なのか、どんなふうに他の社員とつきあっていける人なのかを想像できるような「本当の姿」を知りたいと思っているのです。

私は企業の面接の場に立ち会うことがありますが、ときどき「本音の見えない人だな」と感じる応募者に出会う場合があります。質問に対してよどみなく答えるし、答える内容も悪くない。でもどこかで本音を言っていないような気がする、どういうタイプの人なのかいまひとつわからない、という場合があるのです。こういう人の場合、最終面接まで残るものの、多くは不採用になってしまいます。

ではどうすれば、面接で「本来の自分の姿」「自分らしさ」を伝えることができるのでしょうか。

ひとつは、**面接で自分をアピールする際、できるだけ具体的な内容にして話すことです。**たとえば「正確な書類づくりができること」をアピールするなら、ストレートに「正確な書類づくりが得意です」と言うのではなく、これまでの経緯のなかで実際にどのような自分なりの工夫をして正確な書類づくりをしてきたかなど、具体的なエピソードとして話します。

そしてこれは、流暢に語る必要はありません。多少たどたどしくてもかまわないのです。**大事なのは、自分ならではのエピソードを自分の言葉で語ること**なのです。

ときには本音を語るのもＯK

面接では、応募者が決して口にしてはいけないNGワードがいくつかあります。たとえば「どうして前の会社を辞めたのですか」という質問に対して、前の会社や上司に対する不満を言うのは御法度です。退職理由は、多少強引にでもポジティブなものにするのが基本。しかし実際の面接では、ポジティブな理由を語っても、面接官が「本当にそれだけの理由？」などと聞いてくる場合があります。会話の流れで「ほかにも辞めたい理由があったのでは？」などとさりげなく聞いてくることもあります。

そんなとき、ひたすらポジティブな理由を貫き通さなくてもよい場面もあります。場合によっては「経営状態に不安がありまして……」などと、ちらっと本音を見せるのもアリなのです。もちろんあまり深刻になったりエスカレートして悪口になってしまうのはいけませんが、本音を隠そうとしすぎると、本来の自分が伝わらず、相手は「いまひとつどんな人なのかわからない」と感じてしまうので注意が必要です。

電話・メールでの対応も、「選考の一環」と考えよう

電話やメールの段階から選考は始まっていると考えよう

好印象を与える受け答えをしよう

中途採用の求人情報のなかには、ときおり「電話連絡のうえ、履歴書をお送りください」「電話連絡のうえ、面接」などの記述があります。また、応募書類の送付や面接日程の調整などではメールが使われます。

覚えておきたいのは、電話やメールの対応も選考過程のひとつである、ということ。電話やメールはお互いの顔は見えませんが、声のトーン、言葉遣い、文面、返信のスピード感などに「仕事への姿勢」が出てしまうものです。企業側は、応募者と電話・メールでやり取りしながら、「ビジネスマナーを守れる人か」をチェックしています。電話やメールで損をしないために、次の点に注意しましょう。

【電話】

①電話をかけるときは、時間帯に注意する

企業に電話をかけるときは、正午から13時までの昼休みの時間帯、終業間際の17時以降はできるだけ避けます。

②かける場所に配慮する

携帯電話やスマートフォンからかける場合には、電波の状況を確認しましょう。また、相手がこちらの声を聞き取りやすいように、できるだけ静かな場所からかけます。

③事前の準備をする

その場で面接の日程を決める場合もあるので、手元にスケジュール帳と筆記用具を用意しましょう。

④明るい声でハッキリと話す

小さな声や張りのない話し方は、それだけで相手によくない印象を与えてしまいます。

電話の声は、普通に話すときよりもワントーン上げるくらいの気持ちで、適度な音量で、テンポよく話すようにしましょう。

【メール】

①件名は、用件が簡潔に伝わる書き方をする

企業の採用担当者は、毎日膨大な数のメールを受信しています。他のメールに埋もれてしまわないようにするためにも、件名には用件を簡潔に書き込みます。「面接日程につきまして／○○○○（氏名）」など、用件と氏名を記しましょう。

また、企業からのメールに返信する際、件名には「Re:」のついたものが自動的に入っているはずです。この場合は、件名を変えずにそのまま使用します。

②文面はビジネスマナーを守る

企業へメールを送るときには、基本的に次の要素を盛り込むのがビジネスマナーです。

（1）宛名（株式会社○○　採用担当○○様など）

（2）挨拶文と氏名（「お世話になっております。この度、御社の求人に応募いたしました○○と申します」など）

（3）要件

（4）結び（「どうぞよろしくお願いいたします」など）

（5）氏名・住所・電話番号・メールアドレス

③返信はできるだけ早く

メールの返信はできるだけ早く行うのが基本です。遅くても24時間以内に返信することを目安にしてください。

④メールのアカウントが適切なものかを確認

メールのアカウントがくだけすぎている場合には、適切なものに変更しておきましょう。

電話のかけ方　～応募の電話の場合～

企業　「はい、△△社人事部です」

応募者　**「私、○○○○○（フルネーム）と申します。ホームページの求人情報を拝見して、ぜひ面接を受けさせていただきたいと思い、お電話させていただきました」**

企業　「どうもありがとうございます。では、まずもう一度お名前と連絡先の電話番号を教えていただけますか？」

応募者　**「はい、○○○○○と申します。電話番号は、090-○○○○-○○○○です」**

企業　「ありがとうございます。では、面接の日時ですが10日水曜日の午後2時ではいかがですか？」

応募者　**「申し訳ございません。現在在職中でして、もし可能でしたら夕方の5時以降にしていただけるとありがたいのですが」**

企業　「そうですか。では、12日金曜日の18時ではいかがですか？」

応募者　**「はい、大丈夫です。どうもありがとうございます」**

企業　「では、面接のときには履歴書と職務経歴書をご持参ください」

応募者　**「はい、わかりました。では、12日金曜日の18時にお伺いいたします。どうぞよろしくお願いいたします」**

企業　「はい、ではお待ちしております」

応募者　**「どうもありがとうございました。失礼いたします」**

電話のかけ方　～遅刻の場合～

企業　「はい、△△社です」

応募者　**「私、本日3時から面接の約束をさせていただいております○○（フルネーム）と申します。いまそちらに向かっている途中なのですが、電車の事故が起きまして、お約束の時間に間に合いそうにありません。たいへん申し訳ありませんが、面接の時間をずらしていただくことはできますでしょうか」**

企業　「そうですか。本日でしたら5時からが空いていますがいかがですか」

応募者　**「大丈夫です」**

企業　「では、5時にお待ちしております」

応募者　**「ご迷惑をおかけしまして誠に申し訳ございません。5時には必ずお伺いいたします。どうぞよろしくお願いいたします」**

　面接の予約の時間は「絶対厳守」が原則ですが、やむを得ず遅刻してしまう場合もあるでしょう。約束の時間に1分でも遅れそうなときは、あらかじめ連絡を入れるのがマナーです。
「遅れそう」とわかった時点で、すぐに企業に連絡を入れてお詫びしましょう。そして、遅れる理由、到着予定時間（余裕をもった時間）を伝えます。
　また、面接のときにも再度お詫びすることを忘れずに。

面接本番！　注意すべき態度とは？

「態度」によって採用担当者の印象が大きく変わる場合もあるので要注意

態度やしぐさが致命傷になることも……

企業の面接に立ち会っていると、ときどき「この人は損をしているな」と思う人に出会うことがあります。

職務経歴書から察するに、実務経験も豊富で、仕事のスキルも知識も十分にもっている。けれど、姿勢が悪く、目を合わせない。態度やしぐさが変われば採用担当者の印象もグッとよいものに変わるはずなのに……。

たとえばこんなふうに感じる人です。こういう人は、たいてい「経歴は十分。でも自信がなさそう。職務経歴書の印象とまったく違う。実際に仕事を任せるのは心配だ」という理由で不採用になってしまいます。

面接の時間は15～30分程度とごくわずかな場合も多い。**この短い時間では、ちょっとした態度やしぐさが致命傷になってしまうことも少なくないのです。**

「つまらないところ」で落ちないようにするためにも、面接での基本的なマナー、やってはいけないしぐさを覚えておきましょう。

66ページ以降にまとめましたので、面接前に必ず頭に入れておいてください。

面接会場以外でも気を抜かない

面接の当日は、面接会場以外でも緊張感をもつことが大切です。

受付の人との接し方、控え室の態度など、すべてチェックされていると思ってください。

面接の終了後、採用担当者が受付の社員に「○○○さんという人が受付に来たとき、どんな態度だった？」などと聞く場合もあるのです。受付の社員が「声が小さくて、用件がうまく聞き取れませんでした」などと言えば、もちろんそのことも選考に大きな影響を与えます。

自信がある人ほど要注意

面接本番では、適度な緊張感をもちつつ、リラックスして「本来の自分の姿」「自分らしさ」を出せるのが理想です。しかし、リラックスしすぎないことも重要です。リラックスしすぎると、相手に失礼な態度や言葉遣いをしてしまう場合があります。

また、キャリアを長く積んできた人、これまでの自分の仕事に自信をもっている人は要注意です。その自信が傲慢な態度になってしまうこともあります。

たとえば、営業経験を長く積んできた人は、初対面の人とのやりとりに慣れている人も多いでしょう。しかしその「場慣れ」した感じが、採用担当者に「自分の仕事のスタイルが出来上がってしまっている。新しいものへの柔軟性に欠けるのでは？」「新鮮さがない」などと感じさせてしまうこともあるのです。

もちろん、これまでの自分の仕事に自信をもつことはとてもよいことです。しかし、面接の場では「謙虚さ」も忘れないようにしてください。「自分は新たな会社で、純粋な気持ちでまた一から仕事させていただく」という**謙虚さと自信をバランスよくもつことが大事です。**

面接会場でのマナーとは？

1

会社近くに到着

会社に入る前に、もう一度身だしなみをチェックしましょう。髪の毛は乱れていないか、額に汗をかいていないかなどをチェック。携帯電話やスマートフォンの電源は必ずOFFにします。

2

会社に到着

面接の開始時間の5～10分前に到着するようにしましょう。遅刻は厳禁です。1分でも遅れるようであれば、事前に必ず連絡を入れます。遅刻して到着した場合は、まずお詫びの言葉を伝えます。

10分以上早く着くのも先方に迷惑です。

受付の人（小さな会社などでは受付がない場合もあります。その場合は、入り口にいちばん近い社員）に、「○○○と申します。本日、2時からの面接のお約束でうかがいました」など、名前と用件を伝えます。

冬場は、受付の人に会う前にコートを脱ぐことも忘れずに。

3

控え室

用件を伝えると、受付の社員が案内してくれます。控え室に案内される場合、「そちらのソファでお待ちください」などといわれる場合、直接面接の場所に案内される場合などがあります。控え室での態度も選考の一環として見られていると考えましょう。スマホで面接や仕事とは関係のないものを見る、他の応募者と大声で話すなどは避けます。控え室では静かに待つのが基本。直接面接の場所に通された場合も同じです。座って面接官が来るのを待ちましょう。面接官が入ってきたら、立ち上がって「よろしくお願いいたします」とあいさつします。

4

面接会場に入るとき

面接会場に入るときにはドアをノックします。「どうぞ」といわれたら入室。受付の人に案内された場合はノックは不要です。

5

入室したら一例

「失礼いたします」「おはようございます」「よろしくお願いいたします」など、部屋に入ったらすぐに面接官の顔を見てあいさつします。

6 席に座る

「どうぞお座りください」などと案内されたら、「失礼します」などといいながら着席します。鞄は足元に置きましょう。ソファや机の上には置かないのがマナーです。

7 面接中

椅子には浅めに腰掛けます。背筋を伸ばして、手は膝の上が基本です。

履歴書や職務経歴書を持参する場合は、封筒に入れ、その場で封筒から出し、中身だけ両手で手渡すようにしましょう。

面接官が話しているときには、相手の目を見てしっかり内容を聞き取るようにしてください。

重要な内容については、メモをとるのもOKです。その際には、ひと言「メモをとらせていただいてもよろしいですか」と聞くとよいでしょう。

8 面接終了

面接が終わったらゆっくり立ち上がり、椅子を元に戻し、面接官の顔を見て、「どうもありがとうございました」と丁寧におじぎをします。

9 退室

ドアのところでも一礼して、「ありがとうございました。失礼します」などのあいさつをしましょう。

ドアは静かに閉めます。

10 会社を出る

面接は会社を出るまで続いていると思ってください。面接会場を出たあと、社内を勝手にフラフラ歩いたりしないように。社内の様子を見たいときには、面接の最後に「社内の雰囲気を見させていただけないでしょうか」などとお願いします。

こんな態度やしぐさは要注意!

猫背、終止「うつむき加減」

姿勢が悪いと「緊張感のない人」「自信がない人」「やる気のない人」などと思われてしまいます。姿勢と顔の角度、表情には十分注意しましょう。

顎を突き出すようにして話す

鏡の前で顎を突き出したときの顔と、顎を引いたときの顔を見比べてみてください。顎を突き出していると、何だか「偉そう」に見えるはずです。面接中は、顎を引くようにしましょう。ただし、引きすぎて目線が上目遣いにならないようにする注意も必要です。

腕を組む、足を組む

面接官との話が盛り上がると、つい日頃のクセが出てしまう場合があります。腕や足を組むのはそのひとつ。クセが出ないように気をつけましょう。

ほかに、肘をつく、貧乏ゆすりなども注意が必要です。

視線が泳ぐ

面接の途中は、まわりをキョロキョロ見たり、時計を見たりしないようにしましょう。「落ち着きがない」「きちんと話を聞いていない」「集中力がない」という印象を与えてしまいます。

オーバーな身振り手振り
面接で話すときに、多少は身振り手振りを加えてもかまいませんが、オーバーすぎるのは問題です。

余計な動きが多い
面接中に髪の毛を触る、頭をかく、ペンをまわす、洋服のボタンをいじるなど、余計な動きをとらないようにしましょう。「真剣味に欠ける」「注意力散漫」などの印象を与えてしまいます。

汗をダラダラとかいたままにする
夏場はとくに、汗をかくこともあるでしょう。額に汗をかいたら、さりげなくハンカチでふきましょう。汗をダラダラとかいたまま面接を続けるのは、相手に不快感を与えます。

Q 面接では清潔感を見られている、ってホント？

A 「肩のフケが気になったから……」

「靴が汚れていたから……」

「爪が伸びていたから……」

これらはすべて、面接官が不採用を決定した理由です。

こんな些細なことで、と驚かれるかもしれませんが、事実なのです。「営業先でお客様に不快感を与えるような人はちょっと……」というわけです。

面接で、面接官はあらゆる質問をして「この応募者はどういう人なのか？」を探ろうとしますが、同時に「清潔感のある人か？」もチェックしています。

そして、過去にどんなにすばらしい実績があったとしても、清潔感がないと、それだけで落とされてしまう場合が少なくないのです。

ですので、面接は「清潔なスタイル」を心掛けてください。

面接の前日、または当日は、必ずお風呂に入りましょう。「臭い」も意外と重要なポイントです。といっても、面接に強い香りの香水はNGです。

面接官がとくに注目するのは、足元と指先。

靴は汚れていないか、踵がすり減っていないかを、事前にチェックしておきましょう。

爪は、男性の場合は白い部分が見えないようきれいに切っておきます。女性の場合は、きれいに整えて、薄いマニキュアを塗るとよいでしょう。派手なネイルアートや長すぎる爪はNGです（ただし、業界によっては可の場合もあります）。

面接会場に入る前に、肩などにフケが落ちていないかなどをチェックするのも忘れずに。

Part
3

オンライン面接のマナーとは？

オンライン面接はどのように行われる？

中途採用の面接は、対面、オンライン形式、録画面接など多様化している！

業界・企業によって、面接の形態はさまざま

新型コロナウィルスの感染拡大は私たちの生活を大きく変えましたが、企業の面接方法が多様化したのもそのひとつです。コロナ禍前は、転職の面接といえば、入社希望者が企業に出向き対面で受けるのが当たり前でした。しかし現在では、パソコンやスマートフォンを使い、インターネット回線経由で面接を行うオンライン面接も多く実施されています。

さらにその取り入れ方は企業によってさまざまで、面接は①対面のみ、②1次や2次はオンライン形式で、最終のみ対面、③最初から最後までオンライン形式、④対面かオンライン形式かを選べる、⑤録画面接（企業から招待されたＵＲＬにアクセスし、チャット形式やテキストでなされる企業からの質問に答えていきます。その様子を録画したものを企業に提出）などのパターンがあります。

大まかな傾向としては、ＩＴ業界やサービス業などではオンライン形式で面接をする場合が多く、金融業界や中小企業では対面を好むところが多くなっています。

といっても全般的に、オンライン面接を導入している企業は、以前に比べてかなり増えました。コロナの影響が少なくなった後も、オンライン面接の形態は残るでしょう。つまりこれからの転職活動では、

オンライン面接を一度も経験しないというケースは稀になります。**オンライン形式の面接には、対面形式とは違った準備や注意が必要です**ので、そのポイントをしっかり押さえておきましょう。

オンライン面接が行われる手順とは？

では、実際にはオンライン面接はどのような手順で実施されるのでしょうか。

選考の過程でオンライン面接が決まると、面接で使用するツール（Zoom、Google Meet、Microsoft Teamsなど）のURLと日時が企業からメールで送られてきます。指定された日時にそこへアクセスすると、オンライン上で「対面」の面接が始まります。

【サイトに「入室」したら挨拶　↓　面接　↓　終了したら挨拶をし、サイトから「退室」】

基本的な流れはこのようになっており、対面の場合とほぼ同じです。

何を語るか、その内容がより重視される

対面の面接では、その場の雰囲気が合否に大きく影響することがあります。企業の担当者は、応募者が語る内容だけでなく、全身から醸し出す雰囲気や会話の盛り上がり具合などから、「この方をぜひ採用したい」と思う場合もあるのです。

しかしオンライン面接では、この「雰囲気で採用する」ということがむずかしく、担当者は応募者が語る内容をより重視します。よってオンライン面接では、より印象に残るような具体的な内容を語ることができるか、が対面以上に重要になります。

マナー！

機器の準備を万全にしよう

落ち着いた状態で面接を受けるには、機器類の万全な準備が大切

ＰＣとスマホ、どちらを使うべき？

面接途中で通信状況が不安定になり、画面がフリーズしてしまう、音声が途切れるなどのトラブルが起きれば、それだけで動揺してしまいます。また、回線が途中で切れれば面接は中断してしまいます。

対面かオンラインかにかかわらず、面接は落ち着いた状態で受けることが大切ですが、その状態をつくるためにも、機器類の万全な準備が大事です。

まずはオンライン面接で使用する機器についてですが、できればスマートフォン（スマホ）ではなくパソコンや大きめのタブレットを使った方がよいでしょう。スマホは画面が小さいので、画面を凝視しがちで表情が硬くなったり、姿勢が悪くなりがちです。また、ボリュームの調整やミュート機能など面接中に操作が必要になったときに、その操作がしにくいという欠点もあります。もちろんスマホでも面接を受けることはできますが、その際にはこれらの点に十分に注意してください。

また面接本番では、スタンドなどを使ってスマホやタブレットをしっかり固定しましょう。

面接は安定したネットワーク環境で行う

機器関連については、次の準備をしっかり行いましょう。

【パソコンのスペックを確認する】

オンライン面接では、ZoomやGoogle Meetなどの既存のコミュニケーションアプリを使う場合と、面接専用のアプリを使う場合とがあります。いずれにしてもシステム推奨のパソコンスペックに、自分のパソコンが対応しているかを確認しておきます。

アプリは面接本番の数日前にはインストールしておき、操作の確認をしておきましょう。当日になって慌てないためにも、練習をして使い慣れておくことも大切です。

また面接に使用するツールのアカウント名が適切なものになっているかどうかも確認してください。

【安定した通信環境を準備する】

オンライン面接をスムーズに進めるためにもっとも大事なのが、整った通信環境です。

面接を受ける場所はWi-Fi接続が遮断されないところ、またはLANケーブルで接続できるところを選びましょう。要は、安定した通信環境を確保できる所。同じ家の中でも、場所によっては通信状況が不安定になるところもありますので注意が必要です。

使用する回線は、できれば回線速度が早く安定している光通信がおすすめですが、普段、動画をスムーズに問題なく見られる状況であれば問題はないでしょう。

【マイク機能付きのヘッドフォンを用意する】

マイクが内蔵されていないパソコンを使う場合には、マイク機能付きのイヤホンを用意するとよいでしょう。イヤホンは周囲の音を遮断してくれるため、面接官の声に集中して聞ける良さもあります。

また、内蔵カメラがついていないパソコンを使う場合には、外付けカメラを用意します。その場合、顔映りを良くするためにも１０８０ｐ（フルＨＤ）以上の解像度があるものがおすすめです。

マナー！

環境の準備を万全にしよう

オンライン面接を受ける環境は、面接官に与える印象も左右する

まずは「面接会場」を整える

落ちついた状態でオンライン面接を受けられるようにするためには、機器類の準備と共に環境の準備もとても大切。また、**これらの準備は面接官の印象を良くするためにも大事**です。

まずは、「面接会場」となる場所の準備をします。場所は、安定した通信環境が確保できるところであることがもっとも大事です。家の通信環境が良くない場合には、通信環境が整った個室のワーキングスペースなどを借りるとよいでしょう。

また日程の都合などで、止むを得ず自宅外で面接を受ける場合にも、ワーキングスペースなどを使うことがあるかもしれません。このように自宅以外の場所で面接を受ける場合には、面接が始まったときに、「このような理由で自宅外の場所で受けています」ということを面接官にしっかり伝えましょう。

バーチャル背景は避ける

画面に映り込む背景への配慮も大事です。

コロナ禍以降、私もオンラインで転職希望者のカウンセリングを受ける機会が増えました。そのなかにはときどき、室内干しの洗濯物や壁に掛かった上着や鞄などが背景に映っている方がいらっしゃるの

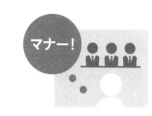

です。この場合は「相談の場」なので大きな問題にはなりませんが、実際の面接であれば「細かいところまで気が回らない方なのかもしれない」「整理整頓が苦手な人かも」などと**面接官にマイナスな印象を抱かせてしまう**でしょう。

また、**背景に余計なものが映っていると面接官も気が散ってしまいます**。せっかく良い応答をしても、集中して聞いてもらえなければもったいないですね。よって、背景は壁など、基本的には何も映り込まない場所を選ぶのが理想です。

バーチャル背景は余計なものを隠してくれて便利ですが、単にぼかすものだけを含めて避けた方が無難です。見ている側は「どうしてバーチャルを使うのか」と無意識に考えてしまい、やはり面接への集中力を削がれるのです。

新卒の面接では、背景に敢えて「面接官に突っ込んでほしいモノ（楽器など）をさりげなく置いておくといい」という話も聞きますが、転職の場合はやはり「白」（何も置かない）が基本です。

専用ライトで明るい印象を作る

オンライン面接では、**容姿が画面にどう映るかで相手の印象が大きく変わってしまいます**。

前にお伝えした「採用担当者は、応募者に会った瞬間の第一印象で応募者の90％のイメージを決めてしまう」というのは、オンラインでも同じです。画面全体や顔部分が暗いと、「暗い人」「パッとしない人」という印象を与えてしまいます。

できれば専用ライトを用意し、事前にもっとも良い印象を与えられるライトの明るさ・色を確認し、調整しておきましょう。

ライトを置く場所も大事です。できるだけ顔の正面に置くようにすると、顔に影ができず綺麗に映ります。

マナー！

オンライン面接の直前に準備しておくべきこととは？①

オンライン面接ならではの事前の配慮が必要

パソコンの高さに気をつける

オンライン面接では、オンラインならではの必要な直前準備というものがあります。

まずは、パソコン（またはスマホ）の位置の確認です。

パソコンの前に姿勢を正して座ったときの**目の位置と、パソコンのカメラの位置がちょうど同じ高さになるように**しましょう。

面接中はカメラに向かって話すのが基本ですが、カメラの位置が目の高さより上にあると、上目遣いになったり、宙を見て話しているような印象になってしまいます。逆に、カメラの位置が目の高さより下にあると、相手を見下ろすようになってしまい、相手には文字通り「上から目線」で話されているという印象を与えてしまいます。

また、パソコンのカメラと適切な距離を取ることも大切。画面に、胸から上の部分が映るくらいの距離をとります。

パソコンのカメラとの距離は、面接中にも気をつけましょう。質疑応答に夢中になると、つい画面に近づき過ぎてしまい、顔部分が大きく映ってしまったり、顔の一部が画面から出てしまう人がいるためです。

また、カメラ部分が汚れていると曇って映ってしまいます。しっかり掃除しておきましょう。

回線が切れてしまうなどの緊急事態に備える

ほかにも次のような準備をしましょう。

【緊急連絡先の確認】

オンライン面接は、途中で通信の状況が不安定になり、回線が途切れてしまうという事態が起きる可能性もあります。そんな緊急時に備えて、先方の緊急連絡先をあらかじめ確認しておく必要があります。直前の準備では、いざというとき、この連絡先をすぐ取り出せるようにしておきましょう。

【パソコン上の必要のないアプリは切っておく】

パソコン上でメールなどのアプリが起動していると、面接の途中で着信音などが鳴ってしまう場合があります。余計なアプリは切っておき、音が鳴らないようにしましょう。

スマホも同様です。たとえ音が鳴らなくても、面接中に着信があったことがわかると気が散ってしまいます。面接中は（使用していない）スマホ本体を鞄の中などにしまっておくとよいでしょう。

【デバイスの充電はフルにしておく】

パソコンやスマホの充電はフルにし、面接中は電源に繋いでおきましょう。

【窓やドアを閉める】

面接中に余計な音が入らないように、部屋のドアや窓は閉めます。

家族と同居している場合には、面接の時間を伝え、話し声、電子レンジや洗濯機の音などの生活音を出さないように協力してもらってください。玄関チャイムの音も消しておきましょう。

【必要な書類は手元に置いておく】

履歴書、職務経歴書などの書類は、面接中に内容を確認する必要が出てくるかもしれません。そうなったときのために手元に用意しておきます。

マナー！

オンライン面接の直前に準備しておくべきこととは？②

外見の最終チェックも忘れずに

服装はスーツが無難

オンライン面接の際の服装はどうすればよいでしょうか。自宅でスーツというのは少し違和感があるかもしれませんが、**基本的にはスーツが無難です。**どのようなスーツにするかは、50ページでお伝えしたように、オンライン面接であっても企業のニーズを考えて決めてください。

画面に映るのは基本上半身だけですが、何かの都合で全身が映らないとも限りません。面接への集中力にも影響しますので、服装は全身を整えましょう。

業界によっては、面接官が比較的ラフな服装をしている場合もあります。同じ業界の面接を何度か受けると、その業界で働く人たちの服装の雰囲気も掴めてきますので、その雰囲気に寄せてもいいでしょう。ただしカジュアルになりすぎないように気をつけてください。

場合によっては面接官がマスクをしていることもあるかもしれませんが、面接を受ける側はマスクは付けないのが基本です。

また、自宅にいると意外と気を抜きがちなのが髪型への配慮です。髪型や化粧は、対面の場合と同様に清潔感を第一に考えて整えましょう。

また、面接前にしっかり歯も磨いておきましょう。

鏡の前で外見の最終チェックをしてください。

オンライン面接で必要な準備とは？

通信環境の整った場所で行う
窓やドアは閉めておく
カメラと目線の高さが同じになるようにする
顔が明るくなるようにライトを設置する
画面に映り込むところには何も置かない
服装はスーツが基本
PCやスマホは、電源につないでおく
必要な書類、筆記用具、飲み物を用意する
カメラの位置から適切な距離をとる

オンライン面接本番では、表情・リアクション・目線に気をつける

表情、リアクションは対面よりオーバー気味にする

ログインのタイミングは？

面接は、面接担当者と面接者の双方がログインすることで開始されます。ログインが指定時間を過ぎるのは「遅刻」となるので論外ですが、あまり早いのも意味がありません。先方から「面接開始時間の○分前までに」「面接開始時間ちょうどに」などの指示がある場合はその通りに、とくになければ5分前頃にログインしておきましょう。

面接官が複数いる場合には、全員が揃ってから面接開始となります。面接担当者の指示に従い、開始まで静かに待ちましょう。

面接が始まったら、「○○（氏名）と申します。どうぞよろしくお願いいたします」と挨拶をします。

表情・リアクション・目線に気をつける

面接本番に気をつけるべきことは、基本的には対面の場合と同じです。しかしオンライン面接では、**とくに表情・リアクション・目線に注意**してください。

【表情はしっかり作る】

私は転職希望者の方とオンライン上で初めて顔を合わせた後、実際に対面でお会いすることがあります。その場合、対面でお会いしたときの方が印象が良くなる人が多いのです。たとえば「立ち姿がシャキッとしていて気持ちの良い方だな」「挨拶などの立ち居振る舞いが丁寧で、日頃の仕事も誠実に行う方なのだろうな」などと感じます。これは、オンライン上では伝わる情報が限られるため、画面の向こうの相手を過小評価してしまいがちだということ。

つまり、オンライン面接では全身を使ったアピールをできない分、表情に気を使う必要があるのです。笑顔にする場合には、画面の向こうの相手に伝わるような笑顔をつくること、キリッとした受け答えをするときには、目に力を入れ口角を上げるなど、しっかり表情を作るといいでしょう（あらかじめ鏡の前で練習するといいですね）。

【リアクションはオーバー気味に】

たとえば面接担当者が何か言ったことに対して小さく頷くだけでは、ボーっとしているイメージを与えてしまう可能性があります。相手は、「ちゃんと聞こえただろうか？　ちゃんと聞いているだろうか？」などと不安になります。

オンラインでは小さな仕草や声は相手に伝わりにくいので、**少々オーバー気味にリアクションを取る**といいでしょう。相手の話に頷くときには、それとわかるようにしっかり頭を動かします。自分が話すときには手振りをつけてもいいでしょう。

【答えるときの目線はカメラに向ける】

目線にも注意が必要です。

面接担当者が話しているときには、画面上の相手を見ていて構いませんが、受け答えするときには、基本的にはカメラを見て話します。

オンライン上ではとくに、目線は雄弁に「語り」ます。メモを見ながら答えれば、目線からすぐにわかってしまいますし、近くに置いてあったスマホなどに気を取られると「今、他のことが気になっているな」などとバレてしまうのです。

画面上に映る自分の姿が気になることもあると思いますが、自分の姿をチラチラ見る目線も相手にはわかるので気をつけてください。

マナー!

オンライン面接本番では、タイムラグに気をつける

質問には即答せずに、ひと呼吸置いてから話し出す

受け答えのタイミングに気を使う

オンライン面接では、通信の都合でどうしても相手との会話にタイムラグが発生してしまいます。また、対面と違い相手のわずかな動作や息遣いを察知できないため、相手がこれから何かを話そうとしているのか、それとも考えている最中なのか、もしくは話し終わったのかなどがわかりづらいのです。面接中は、この点を考慮しましょう。

相手の話は、いつも以上に最後までしっかり聞くようにします。面接担当者の質問に対しては、即答するのではなく、まず「はい」と言ってひと呼吸置いてから話すといいでしょう。質問への答えが長くなるときには、話し終えたときに「以上です」と付けると、相手は安心して次に進めます。

途中で音声が途切れた場合には、「申し訳ありません。少々声が聞こえにくい状況です」と伝えましょう。

もし途中で回線が切れてしまったときには、すぐに再度ログインします。すぐにログインできない場合には、緊急連絡先に速やかに連絡してください。

面接終了後のログアウト（退室）のタイミングは、先方の指示に従います。「どうもありがとうございました」とお礼を述べてから退出します。

オンライン面接のスタート前に確認しておくべきことは?

機器

◇面接時に使用するアプリケーションは問題なく使える?
◇面接時に使用するツールのアカウント名は適切なものになっている?
◇パソコン・スマホのマイク、カメラは問題なく動く?
◇パソコン・スマホのカメラの高さは適切?
◇パソコン・スマホのカメラのレンズ部分は汚れていない?
◇パソコン・スマホはフル充電になっている?
◇パソコン・スマホは電源に繋いでいる?
◇LINE など面接で使わないアプリは切った?

環境

◇通信環境は万全な場所?　通信が不安定になるような場所ではない?
◇騒音、雑音は遮断できている?
◇画面に映り込む位置に余計なモノを置いていない?
◇顔が明るく映るよう、専用ライトなどの準備をしている?
◇必要な書類、緊急時の連絡先はすぐに取り出せる?
◇水やお茶などの飲み物を（画面に映り込まない位置に）用意した?

容姿

◇面接に適切な服装をしている?
◇マスクはとった?
◇髪型、化粧は乱れていない?

面接に関する
素朴な
ギモン
Q&A

Q オンライン面接の途中で、お茶などを飲んでもいい？

A　対面での面接では、お茶やお水が出されることがあります。この場合は、面接中に飲んでいいのですが（→P.156参照）、オンライン面接ではどうでしょうか。

喉が乾いたり、咳き込んだりした場合には、オンライン面接の途中でもお茶やお水を飲んで構いません。ただし、いきなり飲むのではなく、「失礼します」とひと言伝えてから飲みましょう。

オンライン面接が始まる前の準備は色々ありますが、ぜひそこに咳き込んでしまったときなどのための、飲み物の用意も加えてください。飲み物はペットボトルは避け、お茶かお水をコップに入れておきます。画面に映り込まない位置に置いておきましょう。

Q 途中で回線が切れるなど、トラブルが起きたらどうする？

A　オンライン面接には、停電や回線・機器の不具合などで中断されてしまう可能性があります。

面接の日時が決まったら、もしそのような事態になったらどうすべきかをあらかじめ担当者に聞いておくといいでしょう。とくに指示がない場合には、緊急時の連絡先を聞いておきます。

面接が途中で中断してしまったときに一番大事なのは慌てないことです。落ち着いて対処し、面接が再開したときには「改めてどうぞよろしくお願いいたします」と言うなど、しっかり挨拶をしてください。

Part

4

面接で必ず聞かれる質問の準備をする！

面接で必ず聞かれる質問はこの5つ！

事前の準備はとても大事。しかし回答の丸暗記はコミュニケーションの邪魔になる

表現は違っても、同じことを聞いている

ここからは、面接で聞かれる質問を想定し、どのように答えるべきかを準備していきましょう。

次の5つの質問は、どこの企業でも必ず聞かれると考えてください。

Q. これまでどのような仕事をしてきたか？（職歴）
Q. 前の会社を辞めた（辞めたい）理由は？（退職理由）
Q. 当社を志望する理由は？（志望理由）
Q. 3年後、5年後はどのようになっていたいか？（将来のビジョン）
Q. 長所、短所は？（長所・短所）

ただし、聞き方はこのとおりとは限りません。たとえば「これまでどんな仕事をしてきたか？」は、「自己紹介してください」と聞かれる場合もあります。

質問の表現はさまざまですが、それは質問の角度を変えただけ。企業は基本的に、応募者の経験や仕事の仕方、退職理由、志望理由、将来のビジョン、長所・短所を知りたいと思っているのです。

よって、この5つの質問に対する自分なりの考えは、あらかじめ必ずまとめておきましょう。

準備のベースは、can、want、need

ではどうやって、各質問の答えをまとめたらよいでしょうか。

各質問の答えをまとめるときにベースとなるのは、

●自分には何ができるか、何が得意か（=can）

●自分はどのような職場で、どのような仕事をやりたいか（=want）

●企業にはどのようなニーズがあるか（=need）

の3つです。もうお気づきかもしれませんが、この3つは、本書のPart1「面接の準備をする！」でお伝えした内容を実践してもらえれば、しっかりまとまるはずです。

各質問の内容について考えるためには、まずは、自分のcan, want, needをハッキリさせましょう。この部分を飛ばして各質問の答えをまとめようとしても、面接はうまくいかないので注意してください。

模範回答はない。オリジナルの答えを準備しよう

ところで、面接の質問に対する答えには、模範解答はないということも覚えていてください。

次ページ以降には「応答例」も紹介していますが、これはあくまで例です。**応答例を少しアレンジした程度では、面接は突破できません。**注意ポイントに気をつけつつ、必ず自分の頭で考え、自分なりの言葉を使って答えをまとめてほしいのです。

また、答えの丸暗記もやめましょう。面接は口頭試問ではありません。面接官と応募者のコミュニケーションの場です。丸暗記はかえってコミュニケーションの邪魔になってしまいます。**「この質問にはこう答える」と決めるのではなく、「この面接で自分のこの部分は必ずアピールしたい」と思うものを、優先順位をつけて決めておき、実際の面接では臨機応変に答えていくのが理想です。**

Q 自己紹介してください

企業のニーズにマッチした部分を中心に語ろう

中途採用を行う企業には、「このポジションで、こういう仕事をしてくれる人が欲しい」という「求める人物像」が必ずあります。

面接で、企業がもっとも知りたいのは、応募者がこの「求める人物像」にどれだけ近い人か、ということ。つまり企業は、応募者がこれまでどんな仕事をしてきたのか（=どんな仕事ができるのか）を具体的に知りたいと思っているのです。

よって、面接で「自己紹介してください」と言われたら、「あなたはこれまでどのような仕事をしてきましたか?」「あなたはどのように仕事をする人ですか?」と聞かれたと思ってください。

そして答えは、**自分のこれまでの経験のうち、企業が「求める人物像」に近い部分、マッチした部分を中心に語っていきます。**たとえば、個人向けの営業担当を募集している企業であれば、自分のこれまでの経験のうち、個人向け営業で生かせそうな部分を探し出します。

キャリアの長い人や転職回数が多い人は、経験してきた業務が多岐にわたるかもしれませんが、ここで主に語るのは、次の仕事に生かせる部分です。

また最近は、「標準化」から「個別化」の時代と言われています。企業が求める標準的なニーズにプラスして、さらに「私はこんなことができます」という個別のものをもっているかどうかが、採用に大きく影響するのです。

自己理解をより深くして、自分ならではのアピールポイントも語るようにしましょう。

「自己紹介してください」と言われたら……

職歴の概要

ex.
○○年から○○年は、A社で社長秘書として勤務し、スケジュール管理、電話・接客応対などを行いました。
○○年から○○年は、B社で営業事務として勤務しました。

↓

応募企業のニーズにマッチする点

とくにB社では、営業部員が効率よく業務を行えるよう正確な事務を行うほか、営業部員が使う資材の整理を心掛けていました。誰が見ても、すぐにどこに何の資材がわかるようにしたことで……

↓

退職理由

非常にやりがいを感じていましたが、直接お客様と接する仕事の幅をもっと広げたいと考えるようになりました……

まずは、これまでの職歴の概要を簡単に述べます。次に、応募企業のニーズにマッチする部分を具体的に語ります。最後に退職理由を述べましょう。

応答例 その1 営業職から営業職への転職（同業種への転職）

最初の3年間は○○銀行△△支店で、個人顧客を対象に年金や預貯金の訪問営業を行っていました。その後、法人営業部のマネージャーとなり、8名の部下のマネージメントを行いながら、法人に融資の売り込みを行ってきました。新規契約件数は、昨年1年間で約200件を達成しました。

管理職としての仕事は、毎日部下の進捗状況を確認し、停滞している案件は営業に同行しました。部下のよい点、見習うべき点を積極的に見つけるようにし、見つかったときには素直に褒めるようにしました。同時に、部下がまだできていない営業のノウハウを伝え、部下にクロージングさせることで自信をつけさせる工夫をしてきました。

ここがポイント！

■応募企業のニーズにマッチした点を中心に述べる

どんな職種でも、「どんな商品・サービスを、誰にどのように売っている会社で、自分はどのような仕事をしていたか」、という基本情報は必ず入れます。

同業種の転職の場合、面接官はある程度仕事の内容を想像できることも多いので、仕事全体の内容についてはあまり細かく説明しなくてもよいでしょう。

細かく述べるべきなのは、これまでの経験のうちで、もっとも応募先の企業のニーズにマッチした部分です。たとえば個人営業から法人営業に転職を希望する人の場合、個人営業でいかにお客様のニーズを聞き出す工夫をしたか、売り上げを伸ばすためにどんな工夫をしたかなどを語るのです。これらは、お客様の対象が法人に変わったとしても生かせることだからです。

あるいは、たとえば企業の求人情報に「新規事業のプロデュース経験のある方を求めます」と書かれていたとしましょう。この経験がある場合は、この話を中心にします。経験がない場合は、「新規事業のプロデュースの仕事に必要な能力とは何か?」を考えます。企画力、進行管理力、予算管理力などさまざまなものが考えられるでしょう。このうち、自分の経験に当てはまるものを見つけ、そこを中心に語るようにしていきましょう。

応答例 その2 販売職から事務職への転職（異業種への転職）

前職は、〇〇〇デパートの酒類コーナーで販売を担当していました。店頭での接客販売のほかに、配達・配送の受注業務で、伝票作成、請求書作成、伝票確認などを行っていました。

接客の合間には、伝票やカタログなどの備品の整理・整頓、倉庫の資材管理などを心掛けました。とくに倉庫は他の売り場と共同で使っていたため、各売り場の資材がごちゃごちゃに置かれていました。必要なものを取り出すにも時間がかかり効率が悪かったので、他の売り場の担当者に呼び掛け、倉庫内の整理を行いました。

この結果、自分自身が仕事をしやすくなっただけでなく、周囲からも「何がどこにあるか一目瞭然になって助かった」「倉庫がきれいになったので気持ちよく仕事ができるようになった」などと言ってもらえました。

ここがポイント！

■アピールするべきことは必ずある！

「アピールするところがない」「これまでの仕事と応募する企業の仕事に共通点がなく、何をアピールしてよいかわからない」

このような悩みは、たとえば販売職から事務職へなど異業種の転職を希望している人からよく聞きます。

たしかに、職種によって仕事の内容は大きく変わります。しかし、「共通点がひとつもない」ということはまずないのです。たとえば、応答例でいえば、受注業務の伝票作成や請求書作成は、営業事務でも行われる仕事です。

あるいはコミュニケーション力。販売職ではお客様とのコミュニケーションが欠かせませんが、それは事務でも言えること。事務職は他の社員とうまくコミュニケーションをとらなければ、仕事は効率的に進みません。

つまり、「これまでの仕事でこういうふうにコミュニケーション力を培ってきた、これを次の事務職でも生かしたい」と伝えられれば、立派なアピールとなるのです。

それでもどうしても、前職と応募先の仕事に共通点が見つからないという場合は、これまでの工夫した仕事内容と、その成果の実例を述べましょう。それを聞いた面接官は、「この人なら、当社の仕事でも自ら課題を見つけて工夫してくれるかもしれない」と考えるからです。

NG例 その1 「がんばりました」とひたすら精神論

前職では、○○社で乗用車の個人営業を担当していました。毎日１００件を目標に訪問し、１台でも多く売り上げるために、ひたすらがんばりました。

たいへんでしたが、お客様に買ってもらうために、とにかく一生懸命説明する努力をしました。

NG例 その2 「資格をとりました！」という資格信仰者

これまでは販売職でしたが、経理の仕事に興味をもち、仕事をしながら資格取得のための勉強をしてきました。そして、昨年簿記１級を取得しました。

また、資格取得後も、法令関係など常に最新の情報を集め、理解する努力をしています。この資格を御社の仕事で生かしたいと思っています。

ここがポイント！

■抽象的な言葉では何も伝わらない！

とくに営業担当者が言ってしまいがちなのが、「がんばってきました」「一生懸命努力してきました」などの精神論です。厳しいですが「努力よりも結果が重要」なのがビジネスの世界です。

また、「何事にも好奇心をもち、コツコツ努力するタイプです」などと抽象的なアピールをする人もいますが、これもNGです。ここをアピールするなら、常に「好奇心をもち、それが業務にどの程度役立ったか、成果を挙げたか」などを具体的に語りましょう。

ここがポイント！

■資格よりも実務経験が大事

とくに取得が困難な資格をとった人に多いのが、「資格をとったから、この分野の仕事ができるはず」という考え。しかし現実はそう甘くはありません。資格をとったからといって、それがすぐ評価され、仕事に結びつくとは限らないのです。中途採用では、資格より実務経験が重視されます。「資格を取得した」ことはメインのアピールとはならないので注意しましょう。

NG例 その3 「経験がないのでできるかどうか……」という謙虚すぎるタイプ

これまでは、素材関連の会社で事務職を中心に働いてきました。

営業事務は経験がありますが、お客様と直接やりとりした経験はありません。自分がどこまでやれるか少し不安に感じているのですが、何とか営業としてやっていきたいと思っています。

ここがポイント！

■自信がなくても前向きな姿勢を！

「自信はないのですが……」「どこまでできるかわからないのですが……」などの言葉は、面接官を不安にさせます。

次の仕事に自信がない人は、まずは、これまでの仕事のうちで次の仕事に生かせるもの、また次の仕事をやっていくために今後身につけるべきもの、をハッキリさせましょう。面接では、「この部分の経験は、これから身につけたいと考えている。しかし、これまでのこの経験を次の仕事に生かし、一日でも早く結果を出せるようにがんばりたい」などと前向きな方向で語りましょう。

NG例 その4 過去の経歴をすべて語ろうとする

新卒で○○社に入社し、第一営業部に配属されました。そこでは営業事務を2年間担当しました。

そして○○年に、第一輸出部に異動。そこで貿易事務に従事しました。1年後には第二輸入部に異動し、そこでも貿易事務に従事しました。

○○年に、△△社に転職し、……。

ここがポイント！

■自分がアピールしたい部分に的を絞る

面接で「自己紹介してください」「これまでどんな仕事をしてきましたか」などと言われると、職歴を一からすべて語ろうとする人がいますが、これはNGです。面接官は、たいていあらかじめ職務経歴書に目を通しています。細かい内容はあとから確認してもらえるので、職歴の概要を述べたら、あとは「企業のニーズと合致する点」を中心に語りましょう。

職務経歴書に書いた内容をくり返すだけでは、面接の意味はありません。

Q どうして前の会社を辞めたのですか？

退職理由は必ず前向きなものにする

面接官は、この質問で「何か問題があって辞めたのではないか？」「またすぐに辞めてしまう人ではないか？」などを確認しようとします。

退職理由は、

●自分には何ができるか、何が得意か（＝can）

●自分はどんな職場で、どんな仕事をやりたいか（＝want）

●企業にはどんなニーズがあるか（＝need）

のうちの「want」を中心に組み立てていきます。「私は今後こういう仕事をしていきたいと考えているから退職を決めた」「私はこれまでの経験をこういう分野に生かしていきたいと考えているから転職を考えた」という、**前向きな理由で答えられるといい**のです。

ここで気をつけたいのは、その「やりたいこと」は、前（あるいは現在）の職場では実現できなかったことなのかどうか、を確認することです。

前（あるいは現在）の会社でもできそうなことであれば、面接官に「前の会社でもできたことなのでは？」と突っ込まれてしまう可能性があります。仮に、現在の職場でもできそうなことであれば、**まずはそれを全力でやってみてから転職を考えても遅くはないでしょう**。

また、転職活動の過程で「自分はどんな職場で、どんな仕事をやりたいか」について改めて深く考えることは転職成功の近道になります。技術の進歩で近い将来人手が必要でなくなる職種もあります。転職を成功させるには、職種にこだわらず、進んでキャリアチェンジを行う姿勢も大切です。

「退職理由」を聞かれたら……

ex.

・私は今後、こういう仕事をしていきたいと考えているから辞めた。
・これまでの経験を、次はこういう分野に生かしていきたいと思ったから。

前向きな理由
（を短めに）

まずは、前向きな理由を短めに伝えます。さらに掘り下げて質問されたら、詳しく語ります。最初から、いっぺんにすべて話そうとしなくて大丈夫です。

応答例 その1 営業職から営業職へ、同業種の転職

前職は、業務支援ソリューション事業を行うコンサルティング会社で、法人営業を5年間経験しました。コンサルティングの対象は企業の非製造部門に限られ、またソフトの導入によるシステムサポートが中心でした。

仕事はとてもおもしろく、非常にやりがいを感じていたのですが、もっと幅広い分野、たとえば企業の経営課題にまで踏み込んだサポートを行いたい、と思うようになりました。

これまで培ってきた、お客様の真の課題を的確にとらえ、提案し、各部署の担当者の方々と連携しながら案件を着実に進めていくスキルは、分野が違っても生かせるのではないか、と考えて転職を決意しました。

ここがポイント!

■「やれることは全部やった」が前提

退職理由は、「私は今後こういう仕事をしていきたいと考えているから退職を決めた」「私はこれまでの経験をこういう分野に生かしていきたいと考えているから転職を考えた」というのが基本です。

しかし忘れてはならないのが、その前提には「(前職あるいは現職で)やるべきことはすべてやった。でもその職場では希望がかなわなかった」ということがなくてはならない、ということ。

たとえば「マネージャーに昇格したかったけれど、前職ではできなかった」などと言ってしまうと、面接官に「それは単に実力が足りなかったからでは?」「努力が足りなかったのでは?」などと思われてしまいます。

前向き、かつ面接官が納得する転職理由としては、「これまで個人営業のノウハウを積んできた。今後はもっと幅の広い法人営業をやっていきたいから」「販売職でチームのマネージメントを任せられ、人事の仕事に興味をもつようになった。前職では人事部への異動はむずかしかったため(転職を決意した)」などが考えられます。

応答例 その2 販売職から営業職へ、異業種の転職

前職は、レディスカジュアルウェアの販売で、お客様の層は20代が中心でした。販売員の年齢もある程度限定されるため、また、もっと幅広い年齢層への接客スキルを磨きたいため、転職を考えました。これまで培ってきたお客様のニーズを引き出すノウハウなどは、対象が変わっても生かせると考えました。また、これまでは個人販売でしたが法人向けという、よりダイナミックな業務にも興味をもちました。

ここがポイント！

■吸収すべきことはすべて吸収したことを前提に

とくに販売職では、商品や客層によって、販売員の性別や年齢が限定される場合があります。「30代前半くらいまでのキャリアプランは立てられるけれど、その後が立てにくい（だから転職を考えた）」という場合もあるでしょう。このような理由は正直に話しても問題ありません。

「吸収できることはすべて吸収したから、これを次の仕事に生かしたい（そのために転職を考えた）」という姿勢を見せましょう。

NG例 その1 会社や上司への不満を理由にする

前職の上司と相性が合いませんでした。機嫌が悪いと突然「明日から来なくていい！」などと怒鳴るのです。精神的にまいってしまう社員も少なくありませんでした。これ以上、この上司と一緒に働くのはむずかしいと思い、転職を決めました。

NG例 その2 病気・ケガを理由にする

前職の仕事では、ノルマがきつく、毎日終電近くまでの残業を余儀なくされました。また上司ともうまくいかず、精神的にまいってしまい、医者にしばらく仕事を休むように言われました。会社に迷惑がかかると思い、退職しました。

ここがポイント！

■面接官は「同情はしてくれない」と考えよう

相性の合わない上司のもとで働いていた人の場合、「その上司がいかにひどかったか」を語り、同情してもらうことで辞めた理由をわかってもらおう、と考える人が少なくありません。しかし、面接の場では、会社や上司の悪口は絶対に言ってはいけません。

面接官のなかには「あなたのほうにも問題があったかも」と考える人もいます。また、上司とのトラブルはどこの会社でも起こりうることです。同様に「（前職は）残業時間が多すぎた」などの勤務条件への不満も御法度です。

ここがポイント！

■病気・ケガは「退職理由」にしないのが原則

原則として、病気やケガが理由であったことを正直に語るのはあまり得策ではありません。とくに病気の場合は、「今後も健康上に問題が起きるのでは?」などと心配される可能性があるからです。

できるだけ病気やケガ以外のポジティブな退職理由を、少し強引にでも探してください。どうしても病気やケガで辞めたことを言わなければ説明がつかない場合は、いまは完全に治っていて健康であることも伝えましょう。

NG例 その3　経営不振を理由にする

1年前頃から「いつ潰れてもおかしくない」という噂が社内で聞かれるようになりました。
また、実力のある先輩社員が次々に辞めていってしまい、将来に不安を感じて、転職を考えるようになりました。

NG例 その4　リストラを理由にする

会社の業績が悪化し、リストラにあい、辞めざるを得ませんでした。

ここがポイント！

■「危ない」は理由にならない

ここ数年、実際に倒産する企業の数はグンと増えました。「危ないかも」「潰れるかも」という噂がある企業の数は、もっと多いでしょう。

事実かもしれませんが、この「危ない」は退職理由にはなりません。面接官は「会社や仕事に対して依存的で、会社の窮地を救うことより逃げることを考える人なのだろう」などと思うでしょう。

ここがポイント！

■「リストラ」だけでまとめない

リストラや派遣切りの事実は正直に言ってもかまいません。ただし、これだけでまとめてしまうと面接官にマイナスの印象を与えます。

「リストラで不本意ながらも会社を辞めなくてはいけなくなったが、これを転機と考え、自分の今後を改めて考えてみたら、今後はこれまでのこういう経験を生かして、こういう仕事をやりたいと思うようになった」など、気持ちはポジティブなものに切り替わっていることを示すような内容にしましょう。

Q 当社を志望されたのはどうしてですか？

「志望理由＝気に入った理由」ではない

志望理由は、面接で必ず聞かれる質問です。志望理由というと、その企業を「気に入った（気になった）理由」を探してしまう人が少なくありません。そして、面接本番で志望理由を問われると、

・社風が自分に合っていると感じたから
・女性社員が活躍しているから
・扱っている商品が好きだったから

などと答えてしまう。でもこれらは、基本的にすべてNGです。

企業側が面接で知りたいのは、「自社を気に入った理由」ではなく、「この応募者は、自社のニーズに合っているかどうか」なのです。

つまり、**志望理由を聞かれたら、自分がいかに企業のニーズに合っているか、ということを中心に話さなければなりません。**

企業のニーズを踏まえて「これまでこういう経験をして、こういう実績を積んできた。これらを御社で生かせると思ったから」、「これまでこういう経験を積んできた。これを生かして、御社でこういう仕事をやっていきたいと考えたから」という流れで語れるとよいでしょう。

企業のニーズを知ろう

そのためには、企業がどんな人を欲しているかという企業のニーズをしっかり調べましょう。（P.22以降を参照）

企業のニーズを知らないと、売り込み方を間違えてしまいます。

「志望理由」を聞かれたら……

ex.

・これまでのこういう経験、実績を御社で生かせると思ったから。
・これまでのこういう経験を生かして、御社でこういう仕事をしていきたいから。

入社後自分ができること、やりたいこと（＝企業に貢献できること）

社風のよさ　製品のよさ　女性の活躍

答えの柱は、「入社後自分ができること、やりたいこと」。これを支えるものとして製品のよさ等を述べるのは OK。

応答例 その1 営業職から営業職への転職（同業種への転職）

前職では、投資用マンション購入をお考えのお客様に、コンサルティング営業を行っていました。

営業の第一歩は、信用し、相談してもらえる雰囲気づくりを心掛け、同時にニーズがあるかどうかの情報収集を行いました。

ご相談の段階では、お客様が悩んでいる点、不安に思っている点などを聞くことに重点をおきました。そのために何度も足を運び、お会いする回数を増やすことで、信頼関係を築き、契約を交わすというスタイルをとってきました。その結果、昨年は○件の契約をとり、社長賞をいただきました。

非常にやりがいを感じていましたが、この経験をもっと幅広い不動産の分野で生かしてみたい、お客様に対する最適な土地活用の提案をしてみたいと考え、御社を志望しました。

ここがポイント！

■企業のニーズを意識する

●自分には何ができるか、何が得意か（＝can）
●自分はどんな職場で、どんな仕事をやりたいか（＝want）
●企業にはどんなニーズがあるか（＝need）

志望理由を考えるときには、この3つの共通部分を中心に組み立てていきましょう。

なかでもとくに重要なのが、企業のニーズです。企業はどんな人を求めているかを踏まえて、そこにマッチした自分にできること、自分がやりたいことを語るのです。

応答例は、応募先の企業の求める営業スタイルが、前職のものとほぼ一致している場合を想定しています。企業の求める営業スタイルが変われば、答え方も変わってきますので注意しましょう。

また、すでにお気づきかもしれませんが、実は志望理由と退職理由の組み立て方はほとんど同じなのです。よって、志望理由と退職理由が似ている場合もあるかもしれませんが、問題ありません。

応答例 その2

メーカーからサービス業への転職（異業種への転職）

求人情報にあった「マネージメント経験のある人」という部分で、経験が生かせると思いました。

前職では、パソコン部品のメーカーで出荷計画、在庫管理を行うとともに、15名のパート社員のマネージメントを任されていました。

パート社員の業務の細分化、標準化を徹底し、あいまいな指示をなくすことで業務の効率を上げました。また、社内の不満、要望などをいつでも言ってもらえる雰囲気づくりを心掛けました。パート社員たちの不満、要望を知ることによって、業務の改善、効率化を果たしました。

さらに正社員の残業時間の削減も達成しました。このマネージメント業務に非常にやりがいを感じています。今後は、さらにもっと大きな規模のマネージメント業務に挑戦したいと考えていたところ、御社の求人情報を拝見し、応募しました。

ここがポイント！

■企業のニーズと自分がいかにマッチしているか？

「何をアピールしてよいのかわからない」という声は、前職とは異なる職種や業界への転職を考えている人からよく聞きます。

たしかに未経験の職種や業界では、応募先の企業でどんな仕事をするのか、どんな資質が求められているのかがわかりにくいという場合もあるでしょう。

でも、最初から「いままでと違う職種だから」「いままでと違う業界だから」という理由で、「よくわからない」と結論づけないでください。

求人情報をじっくり読めば、企業のニーズは必ずわかります。それでもわからない場合は、同じ業界で働いている人に聞いてみる、正社員経験のある家族や親戚に聞いてみる、また同じ業界の他の企業の求人情報を見てみる、などしてください。

そして企業のニーズに自分がいかにマッチしているか、を考えましょう。

NG例 その1 安定性・将来性にひかれて

御社は今年創業50年ですが、現在もなお、新たな事業開発に取り組んでおり、確実な業績を挙げています。その安定性と将来性に強くひかれました。

NG例 その2 扱っている商品に興味があるから

御社の取り扱っている商品「○○」をとても気に入っていて、長年愛用しています。

ほかの企業の商品とは違い、健康、環境、コスト面のすべてに配慮している点がすごいと思っています。

今度は、消費者としてでなく、供給する側として、この商品と関わりたいと思い、志望しました。

ここがポイント！

■安定性、将来性はNGワード

応募企業を決める段階で、安定性や将来性を重視するのは問題ありません。すぐに経営が行き詰まってしまうような企業でないかどうかは、応募先を決める際の大事なチェックポイントともいえます。

ただし、安定性や将来性をそのまま志望理由にするのは、会社への依存度の高さが感じられてしまい、NGです。

ここがポイント！

■「大好きだから」はアピールにはならない

自社の商品を褒められて嫌な気持ちのする面接官はいないでしょう。しかし、「商品（またはサービス）が好きだから」という理由は、応募者にとっては何のアピールにもなりません。

商品を気に入っていることを志望理由のひとつにするのはかまいませんが、面接では、「商品をこよなく愛する自分だからこそできること」までを語りましょう。この場合も、企業のニーズをしっかり踏まえることが大切です。

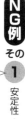

NG例 その3 勉強させていただけそうだから

御社の研修制度が充実している点に魅力を感じました。私はこれまで営業を担当していましたが、扱っていた商品は食品のため、不動産の知識がまったくありません。「未経験歓迎」「一から研修」という言葉があったので、これなら勉強させていただけると思い、応募いたしました。

NG例 その4 社風がよさそうだから

御社の説明会で、女性社員の方がおっしゃった「女性が働きやすい会社」という言葉が印象に残りました。結婚や出産で会社を辞める方はほとんどいなく、離職率は5％以下という点にも魅力を感じました。

また、社内の雰囲気が「和気あいあい」という点も魅力を感じ、とても働きやすそうだと思いました。

ここがポイント！

■「教えてもらう」という態度そのものがNG

たしかに企業の求人情報のなかには、「未経験歓迎」「充実した研修制度」などの言葉があるものもあります。しかし、どこの企業も、「自ら進んで仕事を学び、実践する人」を求めています。

つまり、「教えてもらえるから」「勉強させてもらえそうだから」を志望理由に挙げるのは、「自分は指示待ち人間です」と言っているようなもの。自分の評価を自ら下げてしまうことになりかねないので注意しましょう。

ここがポイント！

■その社風で「自分ができること」を語る

求人情報のなかには、社風のよさを強調しているものも少なくありません。しかしそれは、企業のイメージアップや認知度アップの作戦である場合も多いのです。

応募者にとって社風は大事なことだと思いますが、それをそのまま志望理由にするのはやめましょう。

くり返しますが、志望理由は「好きになった理由」ではないのです。いかに自分が企業のニーズにマッチしているか、を答えるべきなのです。

入社したら、3年後、5年後はどうなっていたいですか?

条件だけで選んでいないかをチェック

この質問は、応募者の将来のビジョンを問うもの。この質問をされたら、**「3年後、5年後のあなたのビジョンを教えてください」**と言われていると考えてください。

PART1のP.18で、「3年後、あるいは5年後、自分はどのような業界で、どのような形で、どのような仕事をしていたいか、というビジョンをまとめます。また、このビジョンを達成させるためには、そのときまでにどのような力をつけておかなければならないかを考えます。」と書きましたが、この質問に対する答えはここを中心に組み立てていきます。

企業はこの質問をすることで、応募者の仕事への意欲、仕事への基本姿勢を見極め、また、条件だけで企業を選んでいないかをチェックしようとするのです。

自分のビジョンと企業のビジョンはマッチしている?

ところで、**応募企業を選ぶ際には「企業のビジョン」をチェックすることも重要です。**企業も3年後、5年後のビジョンがあります。そのビジョンと自分のビジョンがミスマッチなもの（たとえば、企業は将来全国展開を考えているが、自分は地域密着型で仕事をやっていきたいなど）だとしたら、たとえその企業に入社したとしても、いずれまた転職を考えなくてはならなくなります。

応答例 その1

基礎業務を一日も早く身につけ、お客様に喜んでいただけて、かつ会社の利益に貢献するような自分なりの営業スタイルを確立したいと考えています。

3年後には、しっかり実績を出し、お客様からの信頼を得ると同時に、一社員として、周囲によい影響を与えられるようなリーダーシップ、ヒューマンスキルを身につけたいと考えています。

NG例 その1

現場でできるだけ多くの経験を積み、将来は独立したいと考えています。

「独立」という大きな目的があることで、課題や難題を克服する力が生まれると思っています。

ここがポイント！

■ここでも企業のニーズを忘れずに

「この質問に明確に答えられる人は面接官の印象に残る」と言われます。「将来のビジョン」は、転職活動をスタートさせるときに真っ先に考えるべきことですが、ここで改めて「この先、自分はどうなりたいのか」をしっかり考えましょう。

この質問も、自分中心に考えるのではなく、必ず「企業の視点」、企業が採用した人の将来に望む姿にマッチしているか、を考えることが大事。自分本位に「こうなっていたい」「ああなっていたい」と答えるのはNGです。

ここがポイント！

■独立や他部署への異動希望はNG

「独立」を将来のビジョンに据えることそのものは問題ではありません。ただし、面接の場で素直に述べるのは、よほど理解のあるベンチャー企業でない限りNG。「5年経ったら辞めます」と宣言しているようなものです。

また、「いますぐの希望ではないのですが、○○部に異動して実績を積みたい」など、他部署への異動希望を言ってしまう人もいますが、これもNGです。

Q あなたの長所と短所を教えてください

長所も短所も仕事に絡んだものを

面接官は、面接で「この応募者はこちらがやってほしいと考えている仕事をきちんとできる人かどうか」を見極めようとしますが、同時に、「この人はどのように仕事に取り組むタイプの人なのか」も知りたいと思っています。

よって、**長所も短所も必ず仕事に絡んだものを答えるようにしましょう**。

ときどき「友人たちとグループ旅行に行くときには、率先してプランを立てています。リーダーシップにたけていると思います」など、仕事とは直接関係のないことを答えてしまう人がいますが、これはNGです。

長所を語るときには、周囲の客観的な評価を盛り込むのもひとつの方法です。「前職の上司に、『キミはお客様からのクレームに対していつも責任感をもって丁寧に対処しているね』と言われました」などというように。

また、**短所については、あまりストレートに言わない**ようにしましょう。長所の裏返しとなるようなこと（たとえば長所が集中力があることなら、「ときどき集中しすぎてまわりが見えなくなってしまうことがある」など）を語れるといいでしょう。

さらに**短所は、「直す努力をしている」というところまで語りましょう**。自分の短所に何の対処もしていない、と思われないようにする工夫が必要です。

応答例 その1

仕事ではどんな締め切りも必ず守り、前職では一度も遅れたことがありません。それは、締め切りに向けて、常にスケジュールを立てる癖がついているからだと思います。
短所は、その締め切りへの厳しさをほかの人にも求めてしまうことがある点です。個々でいろいろな事情があると思いますので、柔軟に対応するよう努力しています。

NG例 その1

長所は、一度決めた目標に対して努力を惜しまないところです。また、さまざまな年代の友人、知人が多い点も長所だと思っています。
短所は、ときどき短気になってしまう点です。

ここがポイント！

■**具体的な例を出す！**

長所、短所とも、できるだけ具体的に答えるのがポイントです。「長所は、好奇心が旺盛で、何事にも積極的、前向きに行動する点です」などと、抽象的な言葉を並べてしまう人が少なくありませんが、これでは「自分らしさ」は何も伝わりません。
自分の長所を考えたとき、もし抽象的な言葉がでてきたとしたら、それを証明する具体的な事例を探しましょう。たとえば「好奇心の旺盛さ」をアピールするなら、「好奇心が強く、前職では他の部署の仕事の流れにも興味をもち、勉強会に参加した。後々、それが自分の部署の仕事にも役に立った」などとするのです。

ここがポイント！

■**仕事の部分の長所・短所を語る**

目標に対する努力をアピールするのであれば、具体的なエピソードを盛り込みましょう。また、プライベートな交友関係の幅の広さはあまりアピールにはなりません。ただし、仕事に絡んで「幅広い年齢層の人と仕事をしてきた。どんな年齢層の人とでもコミュニケーションをとるのが得意」といったことはアピールになります。

Q 最後に何か質問はありますか？

質問をしないのは、「御社に興味がない」と言っているようなもの

この質問を受けたとき、「とくにありません」と言い切ってしまうのは、「御社には興味がありません」と宣言しているようなもの。できるだけひとつかふたつ、質問できるとよいでしょう。

といっても、次のような質問は避けましょう。

【ホームページや求人情報を見ればわかる質問】

ホームページや求人情報に書かれていて、事前に調べておけばわかったはずのことについては質問しないようにしましょう。もしそれらについて質問するのであれば、「ホームページに○○と書かれていたのですが……」と情報に付随する質問をしましょう。

【給料、福利厚生など条件面に関する質問】

条件面は、内定が出たのちに確認できるので、この場で質問するのは避けましょう。

【面接官が不安になるような質問】

「残業はどれくらいですか？」などとストレートに聞くと、面接官は「この人は自分の都合で仕事を投げ出すタイプなのでは？」などと不安になります。

また、やたらと質問をして、あらかじめ決められた面接時間をオーバーしないように注意しましょう。質問をしすぎると、不安を抱えているのでは、と誤解される場合もあります。

最後は「いろいろとお話をお聞きできて有意義でした。採用していただけたら精一杯がんばります。どうぞよろしくお願いいたします」など、前向きな言葉で締めくくることもポイントです。

応答例 その1

説明会に参加させていただき、社員の方がみなさんとても明るく、活気のある職場という印象を受けました。社員の方は、御社のどんな点が好きなのでしょうか？　また、中途採用の方で違う業界出身の方はいらっしゃいますか？

NG例 その1

仕事に集中するためには、充実した生活基盤が必要だと思っているので、ワーク&ライフバランスを重視したいと考えています。

御社の有給消化率は平均でどれくらいですか？　また、男性社員の育児休暇取得率はどれくらいですか？

ここがポイント！

■企業へのよい評価はOK

質問をする前に、説明会や面接で受けたよい印象を添えるのはＯＫです。企業に対する客観的な評価をありがたがる面接官は少なくありません。ただしネガティブな評価はＮＧです。

また、面接官が社長なのか、人事の人なのか、現場の人なのかでも質問内容は変わってきます。社長や人事の場合、仕事の細かい内容について聞いても答えられないことがあります。

ここがポイント！

■条件面の質問は、基本的に内定後に

仕事とプライベートの比重をどのようなバランスでとるかは、人それぞれの考えがあって当然です。もちろん、バランスのとり方は個人の自由です。しかし、それを面接の場でストレートに主張するのはちょっと損です。「仕事への意欲が足りない」と判断されてしまう場合が少なくないからです。

必ず確認しておきたいけれど、面接の場でストレートに聞くのは避けたい条件面などについてどうやって調べるかは、Ｐａｒｔ７を参考にしてください。

面接に関する素朴なギモン Q&A

Q 面接での服装は、パンツとスカートのどちらがいい？

A 女性のなかには、「面接にはパンツスーツで行っていいのだろうか、それともオーソドックスにスカートのほうがいいのだろうか？」と悩む方もいるようです。

答えは、どちらでもOK。

自分の雰囲気に合っていて、清潔感があれば、どちらでも大丈夫です。

ただし、応募先の企業がどのような人を欲しがっているか、は必ず頭に入れておきましょう。パンツスーツでもスカートでも、相手が求めている人物に近い雰囲気をつくりあげることも重要です。

また、スカートは丈の長さに注意してください。短すぎるのはNGです。

Q 面接に、アクセサリーはつけていってもいい？

A 女性の場合、派手なものでなければつけてもかまいません。ただし、1点か2点まで。

胸元が空いたシャツなどを着ている場合は、ネックレス（控えめなもの）があったほうが引き締まって見えます。

男性の場合は、結婚指輪以外はNGと考えてください。いくら地味なものでも、男性のアクセサリーは面接官によい印象を与えません。

Part

5

ハンディを突く
質問にはどう答える？

ハンディを突く質問の答え方とは？

大事なのは自分の「ハンディ」をどうとらえ、どう前向きになっているか

「ハンディ」は変えようがない

実際の面接では、様々な角度からの質問がされます。そのひとつが、応募者にとっては「ハンディ」といえる側面の質問。たとえば転職回数の多さ、ブランクの長さなど、採用する側にとって「ちょっと気になる」という点は、必ず聞かれると思ってください。

といっても、自分の「ハンディ」に対して極端に萎縮する必要はありません。「転職回数が多いからきっと不利」「ブランクが長いからきっとダメ」といった態度は、面接官に伝わり、自信のない印象を与えてしまいます。

すでに抱えている「ハンディ」は変えようがありません。たとえば転職回数が多くなってしまっている人は、その事実は変えようがない。転職回数を少なかったことにすることはできないのです。

ではどうすればよいでしょうか？

大事なのは、そういう「ハンディ」をもちつつも、いまはどう考えているか、です。自分の「ハンディ」をどうとらえ、今後はどうしていきたいと考えているか、を面接官は知りたいのです。

圧迫面接の場合も

ハンディに突っ込む質問をされた場合は、圧迫面接の可能性もあります。

仕事の現場では、常に事がスムーズに進むとは限りません。クライアントに嫌みを言われたり、無理な注文をされたり、クレームを受けるなどの場面もあります。

その際の態度や対処方法を見極めるために、面接官はあえて応募者が嫌がるような質問をする場合があります。これを圧迫面接といいます。

面接官の嫌みな言葉にストレートに反応して、むきになったり、ブスッとした態度にならないように気をつけましょう。

嫌な質問をされたら、「あっ、これは圧迫面接だな」と思って冷静に対応してください。

「本当の姿」を知るための質問である場合も

また、面接官は応募者の「本当の姿」を知りたいと思っています。面接用の「着飾った姿」ではなく、素の部分を知りたいと思っているのです。

ところが応募者のなかには、面接でなかなか「素の自分」を出してくれない人もいます。どこかつかみきれない人だな、本当の姿がわからない人だなと感じることがあります。

そんなとき、面接官はあらゆる角度から質問をします。応募者の意見にわざと同調したり、あえて否定的になるなどするのです。応募者が嫌がるような質問をするのもそのひとつ。そしてその**反応の仕方から、本当の姿を探ろうとするのです。**

いずれにしても、カチンとくるような質問に対してストレートに嫌な態度を示さないことがポイントです。

Q 前職はずいぶん期間が短いですね？

質問そのものよりも、それ以外の部分が大事

職歴に1年未満で辞めてしまっている会社がある場合は、必ず聞かれる質問と考えてください。

実は、この質問については（「ハンディ」に対する質問全体に言えますが）、質問そのものにどう答えるかを考えるより、「自分の売り」「将来のビジョン」を明確にすることのほうが重要です。

面接の別の場面で、「私はこれまでこういう仕事をしてきて、こういう強み（売り）をもっている。3年後、5年後はこういうビジョンをもっている」とハッキリ言えることが大事なのです。ここが明確になっていれば、「前職は自分のキャリアビジョンからははずれるものだった」などと説明できます。

また、「実は、前回は焦って転職先を決めてしまい、反省している」などと、本音をチラッと見せることもできるのです。

ところが、「売り」や「ビジョン」がハッキリせず、さらに短期間で辞めた会社があるとなれば、面接官は「きっとうちもすぐに辞めてしまうだろう」と判断するでしょう。

なので、**この質問だけに着目して「どう答えるか」を考えるのではなく、もっと全体的な自分の転職ストーリーを考えてください。**これまでどういうビジョンをもってキャリアを積んできたのか、今後はどうしたいのか、これまで培ってきた強みは何なのか、がハッキリしていれば、「短期間で辞めた会社がある」というハンディはカバーできるのです。

応答例 その1

新卒で入社した会社で人事部に配属されて以降、人事部の仕事に非常にやりがいを感じていました。前職も、当初は人事部に配属される約束で入社したのですが、急遽、営業部に異動になりました。営業でがんばってみようかと悩んだのですが、どうしても人事に関する仕事のやりがいは捨てがたく、思い切って転職を決めました。

NG例 その1

面接では、「残業はほとんどない」と聞いていたのですが、実際は月１００時間を超える残業がありました。これは一生続けられる仕事ではないと思い、辞めるなら早いほうがよいと思ったのです。

ここがポイント！

■企業側の問題を理由にするのはNG

ひとつの会社を短期間で辞めた理由としてよく聞くのが、「入社後の仕事が当初の約束と違うものだった」というもの。そしてたいていの場合は、「約束が違った」「企業側に騙された」という企業を批判するニュアンスが含まれています。

たとえ本当に企業側に問題があったとしても、それを理由にするのはNGです。「本当に事前にちゃんと調べたの？」と不審がられるのがオチです。短期間で辞めたことを企業側のせいにするのは絶対にやめましょう。

ここがポイント！

■基本は「ビジョンからはずれる」という理由

実際に短期間で辞める理由は、条件がよくなかった、社風が合わなかった、思っていた仕事とは違ったなどがほとんどでしょう。しかし、これらの理由を正直に答えるのはNGです。

この質問の答え方としてオーソドックスなのは、やはり「自分のキャリアビジョンからはずれるものだった」というもの。こう答えるためには、ビジョンをハッキリさせることが必要です。

Q 転職回数が多いですが、どうしてですか？

転職は、回数より中身が重要

転職回数を気にする人は多いですが、気にするべきなのは回数よりも中身です。

以前、キャリアカウンセリングを受けに来てくださった30歳の女性の方は、これまで3回転職していました。3回の転職というと「多いな」という印象ですが、その方は、いちばん最初はアルバイト、二番目は派遣社員、三番目は契約社員、四番目は正社員として働いていました。転職ごとに雇用形態をステップアップさせ、仕事の内容もより難易度の高いものになっていたのです。

3回転職をしていますが、すべて意味のある転職になっています。この経緯をきちんと説明できれば、面接官は納得するでしょう。逆に、現状に満足せず向上心のある人としてプラスの評価につながる可能性もあるのです。

このように、**転職回数が多かったとしても、その経緯を面接官が納得できるように説明できれば「ハンディ」となりません。**

転職回数にこだわらない企業もある

中途採用を行う企業のなかには、「とにかく何でもやってくれる人、できる人」を求めるベンチャー企業や外資系企業もあります。

このような企業であれば、多くの職場を見てきて、あらゆる仕事を経験してきた人は、かえって有利になる場合もあるのです。転職回数が多くて悩んでいる人はこのような企業を狙うのもひとつの方法です。

応答例 その1

以前から経理の仕事を続けていきたいと考えていました。１社目は事業規模が大きかったため、経理を部分的にしか任せてもらえませんでした。会社全体の経理に携わりたいと考え、２社目に転職しました。決算まで携わることができ、やりがいを感じていたのですが、倒産し、退職を余儀なくされました。今後は、腰を据えて長く働きたいと思っています。

ここがポイント！

■基本は「前向きな理由」

リストラや家庭の事情などで辞めた場合は、正直に伝えてもOKです。ただ実際は、上司と合わなかった、残業が多かった、思っていた仕事とは違った、などという場合もあるでしょう。これらを正直に答えるのはNGです。

多少強引でも、自分なりの転職ストーリー（こういうビジョンのために転職をくり返してきた、という転職の流れ）を考え、それに合った理由付けができるとよいでしょう。

また、最後に「今後は長く働きたい」旨を付け加えるのもポイントです。

NG例 その1

１社目は、社内の雰囲気が非常に悪く、精神的にもまいってしまって辞めました。２社目は、仕事の量が極端に少なく、時間を持て余してしまうほどだったので転職したのですが、３社目は逆に残業が毎日あり、毎日終電で体調を崩してしまいました。

ここがポイント！

■面接官は同情はしてくれない

どんなに職場環境が悪くても、それを「辞めた理由」「転職の理由」にするのはNGです。

いかに前の会社がよくなかったかを語ってしまう人がいますが、（厳しい言い方ですが）面接官は絶対に同情してくれないと考えましょう。

Q 前職を辞めてから、かなりブランクがありますね？

無意味ではなかったことを語る

面接官は、ブランクのある人に対して、ビジネス感覚が鈍っている人なのではないか、ひょっとするとどこの企業でも落とされてしまっている人なのではないか、などと思います。単純に、この期間の生活費はどうしていたのだろう、という疑問もわきます。

出産、育児、資格取得のためにスクールに通っていた、留学（留学の場合は目的がハッキリしていることが重要。単なる語学留学では説得力が出ない場合も）など、具体的な理由がある場合には、それを述べましょう。

さらに、自分なりに勉強をしていたなど、ブランク中にビジネス感覚を鈍らせないための努力を続けていたことを語れるとベストです。

病気については正直に言うと不利になる場合も

ケガの場合は、すでに完治していて仕事に支障がないようであれば、正直に語っても問題はありません。気をつけたいのは、病気に関してです。「病気で長期間入院していたため、仕事ができなかった」などと言われると、面接官は「また同じような病気をしてしまうのではないか」と不安になるのです。たとえ、現在は完治していたとしてもです。

もちろん病気になったことそのものは問題ではありません。しかし、**面接の場でそれを正直に言うのは不利になる場合が少なくないのです**。なので、できれば何か別の理由を考えてください。

応答例 その1

この期間は、マーケティングの会社でアルバイトをしていました。マーケティングに興味をもつようになり、関連書籍を読んだり、セミナーに参加するなどして知識を深める努力をしていました。

また、仕事への知識だけでなく、より正確な調査結果を出すには、日頃の調査員の方とのコミュニケーションが重要だということにも気づきました。

NG例 その1

今回の転職で最後にしたい、次の会社では定年まで働きつづけたいという思いが強く、慎重な転職活動を行っているためです。

ここがポイント！

■アルバイトをしていた場合は、前向きな姿勢で働いていたことを伝える

アルバイトをしていた場合には、自分にとってのアルバイトの位置づけ、またそのアルバイトが今回の転職にどのような影響を及ぼしているのかなどを語れるとよいでしょう。

「単なる生活費稼ぎの中継ぎ」という印象をもたれないようにするのがポイント。アルバイトという仕事のなかからもどん欲に何かを吸収する姿勢を見せられるとよいでしょう。

ここがポイント！

■「転職活動が長引いた……」は基本的にNG

「これで最後の転職にしたい」という思いがあまりに強いと、転職はうまくいきません。企業に対してちょっとでも気になる部分があると、面接を受ける勇気をもてなくなってしまったり、「とにかく挑戦してみよう」という気概がなくなってしまうからです。安易な転職先選びは禁物ですが、慎重になりすぎるのも問題です。

また、ブランクの理由としても適当ではありません。

Q これまでなぜ派遣社員として働いてきたのですか？

正社員として働くやる気がどこまであるか？

正社員、派遣社員、アルバイト、パートなど、雇用形態が多様化している現在では、前職が正社員でなかったことが不利になる場合はそれほど多くありません。

といっても、派遣やアルバイトの場合、正社員に比べて就業時間の拘束が短いこと、仕事への責任の度合いが低いのも事実です。また、与えられた仕事をこなしていればOKとされる側面もあります。

面接官は、応募者の仕事の感覚が派遣やアルバイトのときのままではないか、正社員としてのやる気がどれくらいあるのかなどを確かめるためにこの質問をします。

この質問をされたら、どういう意識で派遣やアルバイトをしてきたかを語れるとよいでしょう。

たとえば「簿記の資格をとったが実務経験がなかった。正社員として働きたかったが、『経験者』という応募資格に当てはまらなかったため、まずは派遣で実務経験を積もうと考えた」、あるいは「希望する流通業界は未経験だったため、まずはアルバイトから経験を積もうと思った」など。

さらに、**派遣やアルバイトとして具体的に何を身につけたか**を語れるとよいでしょう。

また、派遣やアルバイトから正社員に変わる理由に「安定」を挙げる人がいますが、面接でこれを正直に言うのはNGです。「より責任ある仕事をしたくなった」「より幅広い業務に関わりたいと思った」など、仕事面の理由を考えましょう。

応答例 その1

あらゆるメーカーの仕事ができたので、派遣ならではの「仕事の幅の広さ」におもしろさを感じていました。しかし、プロジェクトが終了するとクライアントとの関係も途切れてしまい、もっと長期にわたって関係を維持できれば、よりよい技術を提供する機会が増えるはず、と考えるようになりました。そうなると、やはり正社員として一社で腰を据えて働くのが最善と思うようになりました。

NG例 その1

本当は正社員として働くことを希望していましたが、就職氷河期だったこともあり、アルバイトや派遣でしか仕事が見つかりませんでした。

ここがポイント！

■仕事への積極的な姿勢を見せる

まずは、これまでなぜ派遣やアルバイトとして働いてきたのかという具体的な理由を述べましょう。

さらに、派遣やアルバイトという立場ながらも、企業の業績に貢献するために積極的に仕事をしてきたこと、そのための努力や工夫を語れるとベストです。

派遣社員の場合、自分がいかに大手企業で働いてきたかをアピールしようとする人がいますが、派遣先の企業の規模はあまり重視されません。それよりも、常に自ら積極的に仕事をしていたこと、指示待ち人間ではなかったことをアピールしましょう。

ここがポイント！

■正社員になれなかったことを時代のせいにするのはNG

正社員になれなかったことを時代のせいだけにするのはNGです。

「こういう仕事をしてみたいと考えていたが、就職氷河期とも重なって正社員としての仕事を見つけられなかった。だからまずは、派遣で経験を積もうと考えた」などと言えるとよいでしょう。

Q 未経験のようですが、どうして転職しようと思ったのですか？

未経験でも、「売り」になるのはこれまでの経験

中途採用を行う企業のなかには「未経験者歓迎」とするところもありますが、これは「未経験でもOK」という意味。中途採用の市場ではやはり経験者のほうが優遇されます。

そんななかで、未経験職での面接の場で「未経験なので自信がありませんが……」「教えていただければできると思います」といった自信のない態度、謙遜の態度を示すのは禁物です。

未経験分野に挑戦する場合も、やはり「売り」になるのは過去の経験、実績です。これまでの仕事のうち、次の仕事に生かせそうな部分、企業のニーズにマッチする部分を見つけ出し、そこをアピールしていきましょう。

「前の仕事が向いていなかった」はNG

たとえば「いままで事務職をコツコツとやってきたが、自分には合わない気がした」など、仕事のスタイルが向いていないとして、キャリアチェンジを図る人もいると思います。このような場合、ストレートに「前の仕事は合わなかった」と言ってしまうのではなく、前職の仕事のうち、応募先の仕事と共通する部分を探し出し、「そこにやりがいを感じた、仕事のおもしろさを感じた。さらにそのやりがいや強みを生かして……」という方向で語れるとよいでしょう

また、「いまの仕事にやりがいを感じられないからリセットのつもりで職種を変える」という理由もNGです。

応答例 その1

前職では、営業事務として、営業部員のサポートを行ってきましたが、1年前頃から、特定のお客様の対応を直接任せてもらえるようになりました。

お客様と直接やりとりする仕事は、クレーム処理等も含めて非常にやりがいを感じました。前の会社で営業職を希望しましたがかなわなかったため、転職を決意しました。

NG例 その1

前職では、○○ストアの玩具売り場で販売を担当していましたが、上司が体育会系で「とにかく体を動かし、声を出して売れ」という考えでした。

もっと客観的で理論的な仕事の進め方ができる経理のほうが合っていると思い、転職を決めました。

ここがポイント！

■**次の仕事に生かせそうな部分を探す**

未経験でも、新たな分野に挑戦する理由が明確で、次の仕事に生かせる「強み」をもっていれば、さほど心配する必要はありません。どんな仕事でも真剣に取り組めば、ほかの仕事に応用できるものは必ずあるはずです。

よって、この質問の答えを考えるときには、改めてこれまでの仕事の棚卸しをし、応募先の企業で生かせそうな部分はどこかを探る必要があります。そこにキャリアチェンジの理由も、「売り」となる部分も潜んでいるはずです。

ここがポイント！

■**ポジティブな理由を語る**

現実には、「前職が向いていなかったから」「前職にやりがいを感じられなかったから」などのネガティブな理由で、キャリアチェンジを図る人は少なくないと思います。

しかし、これを正直に面接で語るのはNGです。前職の会社や上司の悪口にもなりかねません。実際は、ネガティブな理由でキャリアチェンジを図るとしても、面接ではポジティブな理由を語りましょう。

Q お子さんの預け先は決まっていますか？

企業選びも重要なポイント

小学生未満の子どもがいる女性は、よく聞かれる質問です。

ベストなのは、すでに保育園などの預け先を確保していて、子どもが急に病気にかかったときなどの対応策も考えている、という状態になっていること。具体的な預け先を確保していて、できるかぎり業務に支障をきたさない努力をしている、という姿勢を見せられるとよいでしょう。

といっても、幼い子どもをもつ女性社員をどう考えるかは企業によって違います。社内に保育施設を完備するなど、幼い子をもつ女性を積極的に採用する企業もありますが、なかには「そういう人はちょっと……」と敬遠する企業も残念ながらあるのです。

また、業種によっては長時間の残業や出張、転勤などが避けられない場合もあります。よって、**とくに幼い子をもつ女性は、企業選びも重要なポイントになります**。

仕事と子育ての両立がしやすい企業かどうか、また自分にとって物理的に継続可能な業務なのかどうかを事前に調べておく必要があります。

預け先が確保できていない場合には、早急に対策を練りましょう。まずは無認可の保育園に子どもを預け、就職し、その後に認可保育園に入り直す。あるいは、両親などに子どもを見てもらい、派遣やパートといった拘束時間の短い仕事から始め、認可保育園に入り、その後正社員への道をめざす、などの方法があるでしょう。

応答例 その1

子どもは無認可保育園に入れる予定で、○月から入れるよう予約をとっております。朝は7時半から預かってもらえ、夜は9時まで対応してくれる保育園ですので、ふだんの勤務には差し支えないと考えています。また、近所に両親も住んでおりますので、急病などの場合は、できるだけ両親の力を借りたいと思っております。

NG例 その1

子どもは保育園に入れる予定です。
うちの子どもは元気なので、あまり病気をしないと思いますが、もし病気をした場合は、近所に住む妹に面倒をみてもらおうと考えています。

ここがポイント！

■子どもが急病になったときの場合も考えておく

この質問をされたら、「預け先を確保している」ということだけでなく、子どもが病気をしたときなどの対応策もしっかり考えていることを伝えられるとよいでしょう。

頼れるのは、パートナーや近くに住む親類だけではありません。自治体によっては、病後児保育を実施する施設もあります。

「対応策」は、面接で答えるためというより、実際に働き続けるために必要なことですので、しっかり考えておきましょう。

ここがポイント！

■「予定」では説得力がない

待機児童が増加している現在では、認可保育園のみならず無認可保育園も満杯というケースが少なくないようです。こういう状況で、「保育園に入れる予定」だけでは、面接官は不安になってしまいます。「状況の読みの甘さ」は、仕事への能力も疑われてしまいますので注意しましょう。

Q 本当にうちみたいな企業でやっていける？

大手企業でのキャリアがハンディになることも

この質問は、一部上場企業などの大手企業にいた人、あるいは突出したスキルをもっている人などが聞かれることがあります。本人にしてみれば、大手企業でのキャリア、特殊なスキルは「売り」になると思うかもしれませんが、実際は、意外にもハンディとなる場合もあるのです。

面接官のなかには、あえて大手企業を辞めて転職するというのは、本人に何か問題があったのではないか、と考える人もいます。

また、大手企業のなかには、業務が細分化されていて、社員は範囲の狭い業務を上からの指示どおりにこなせばＯＫとされるところもありますし、ジョブローテーションを導入しているため、数年ごとの職種変えで「広く浅い」経験となってしまう、という例もあります。とくに中小企業の面接官のなかには、「そういう仕事のやり方をしてきた人が、現場の泥臭い仕事を本当にできるのか？」と懸念する人も少なくないのです。

特殊なスキルも企業のニーズに合っていればよいですが、そうでなければ「的外れなアピール」になってしまいます。

この質問でも、アピールするべきは、大手企業にいたことや特殊なスキルではなく、これまでの経験や身につけた能力のうち、応募先企業のニーズにマッチした部分です。

また、**一から新しい仕事に取り組む柔軟性、これまでのやり方にこだわらず何でも積極的に取り組む姿勢が伝えられるとよいでしょう。**

応答例 その1

前職では貿易事務を担当していましたが、取り扱う案件の多さから、貿易事務のごく一部分しか担当させてもらえませんでした。今後はもっと幅広い分野に関わり、貿易事務のプロになりたいと思っています。これまでも知識面の吸収に努力してきましたが、実務経験は浅い部分が多くあります。

今後は、どん欲に業務に取り組み、知識をたしかな実務経験に変えていきたいと思っています。

NG例 その1

前職では、法人営業を担当していましたが、毎月平均して○件の新規契約を成立させていました。この5年間に培った営業力を、御社でも生かせると思っています。

ここがポイント！

■**企業のニーズを踏まえてアピールする**

この質問でも、必ず頭に入れておくべきなのが、企業のニーズ。企業はどんなニーズがあるのかを調べ、そこにマッチする業績のみを謙虚に語るようにしましょう。

また、前職との待遇面の差を心配する面接官もいます。待遇面について聞かれたら、「前職と同じようにとは考えていない」ことを伝えましょう。

ここがポイント！

■**自分なりの工夫や努力を**

とくに大手企業では、社員は企業の「ブランド力」に助けられる場合が多くあります。このことを踏まえず、自分の実力だけで成績を出してきたかのような傲慢なニュアンスにならないようにしましょう。前職での実績をアピールする場合、自分なりにどのような工夫や努力をして実績を出してきたかまでを語るようにしましょう。

Q 年下の上司でも気にしませんか？

謙虚な姿勢、柔軟性をアピール

この質問は、とくに30代後半以降の人が聞かれる場合があります。

年齢が高い人に対して、面接官は、いままでの仕事のやり方に凝り固まっていないか、新しいものを柔軟に受け入れられる人か、これまでの経験やプライドを捨てられる人か、何でもやってみようとする人か、などをチェックしようとします。

これらを知るための質問のひとつが、「年下の上司でも気にしませんか？」なのです。

新しい会社に転職し、新しい仕事を始めるということは、年齢に関係なく「新人」であると自覚していること、**一から仕事を吸収していこうとする謙虚な姿勢**をもっていること、**新しいやり方などをどんどん取り入れようとする柔軟性**をもっていることなどを伝えられるとよいでしょう。

ところで、ときどき「転職は何歳まで可能ですか？」という質問を受けることがあります。また「30歳までには転職をしなければ」「40歳になる前に転職しなければ」などという声を聞くことも多くあります。

しかし、私は基本的に転職に年齢のリミットはないと思っています。年齢にあったスキル（たとえば40歳ならマネージメント力や人脈など）が身についていて、かつそれが企業のニーズに合っていれば、何歳でも転職は可能だと思っています。

ですので、年齢をハンディと考えすぎないことも大切です。「年齢がいっているから」という自信のなさは、面接でもよい結果を招きません。

応答例 その1

業務を進めるうえで、年齢はあまり関係ないと思っています。ですので、上司が自分より年下かどうかということは気にしていません。
また、年齢に関係なく、ほかの人から学べることは多くあると思っています。前職では、若い新入社員から学ぶことも多くありました。年齢に関係なく、よいことはどんどん自分に取り入れていきたいと思っています。

ここがポイント！

■「上から目線」にならないように

とくに、40代、50代の「管理職を経験してきた人」は、若い社員に対して「上から目線」になりがちです。経験やプライドを捨てて、一から仕事に取り組むという謙虚な姿勢が伝わるようにしましょう。
また、新しい環境にとけ込もうとする姿勢、新しいものをどんどん吸収しようとする姿勢を示すことも大切です。

NG例 その1

前職では、20代の社員が多く、彼らの教育指導にも当たりました。
彼らから相談を受けることも多く、若い社員の気持ちは比較的理解できるほうだと思っています。

ここがポイント！

■マネージメント力のアピールは別の質問のときに

30代後半以降ではとくに、マネージメント力があることは大きなアピールになります。しかし、この質問のときにマネージメント力があることを語るのはNG。面接官は、「マネージメント力があるかどうか」を聞いているのではなく、「年下の上司という状況でも柔軟に対応できるか」を聞いているからです。

Q 健康状態は良好ですか?

既往症がある場合は?

この質問は、内定がほぼ見えてきた段階で確認の意味で聞かれる場合と、過去に病気やケガが原因で長く仕事をしていなかった期間があることが書類上に書かれているなど、面接官が健康面で少しでも不安を抱いた場合などに聞かれます。

「健康についての質問はプライバシーの侵害なのでは?」と思う方もいるかもしれません。

しかし、採用側にしてみれば、「この応募者は業務をきちんと遂行できるか」を確認するのは必要なこと。業務のなかに車の運転や高度な機械作業などがある場合は必ず聞かれると考えてよく、プライバシーの侵害には当たりません。

健康状態にとくに問題がなければ、「はい、良好です」と簡潔に答えるだけでよいでしょう。前職で数年にわたって病欠を一度もしたことがない場合などは、その旨を簡単に付け加えてもよいでしょう。

過去に病気をして長いブランクがあったとしても、また現在持病があるとしても、業務に差し支えがなければ(定期通院が必要でも、勤務時間外に対応できればOK)、敢えて自分から詳細を語る必要はありません。ただし面接の途中のやりとりや、職務経歴書などの書類上でそのことがわかった場合、面接官はもう少し詳しく知りたいと考え、質問してきます。

その場合は、**現在の状態とどのような対策をとっているかを簡潔に答え、通常業務は問題なく遂行できることを伝えましょう。**

仮に、もし自分自身で健康面に不安がある場合は、完治してから転職活動を始めることも考えてみてください。

応答例 その1

はい、良好です。現在は完全に回復し、担当の医師からも通常の業務・生活をして問題はない、とお墨付きをもらっています。
病気を機に食生活を改善したこともあり、現在は以前より健康に自信があります。

ここがポイント！

■客観的事実を入れる

既往症がある場合など、面接官は、「この応募者は現在は本当に回復しているのだろうか？ 業務に差し支えはないだろうか？」などと不安を感じています。その不安を払拭するには、医師からお墨付きをもらった、通院の必要がなくなったなど、客観的事実を入れて説明するのがポイントです。

また、「体調不良は自己管理能力の低さからきたのでは？」と懸念する面接官もいるので、自己管理能力をアピールできるエピソードを加えるのもよいでしょう。

NG例 その1

前職では残業が1か月に100時間を超えてしまうこともありました。そのため心身共に疲れ果ててしまったのですが、現在は持ち直しています。

ここがポイント！

■前の会社の悪口にならないように！

やってしまいがちなのは「病気になった原因は前職の労働状況にあった（よって自分に非はない）」と主張してしまうこと。実際にそうだったかもしれませんが、面接でそのことを持ち出してもプラスにはなりません。過去はどうであれ、現在は完全に回復し、業務にも支障をきたさないことに焦点をあてましょう。

面接に関する素朴なギモン Q&A

Q 受付の社員の方に、応接室に通された。面接官が来るまで座って待っていていい？

A　座って待っていましょう。
「立って待ち続けるのが礼儀」という考えもありますが、面接では硬い印象を与えてしまいます。

たいていは、案内してくれた社員の方が「どうぞ」と言って、椅子やソファに座ることをうながしてくれるはずです。遠慮せずに座りましょう。ただし、ドカンと座り込まず、浅く腰掛け、背筋を伸ばして座ります。

面接官が入ってきたら、すぐに立ち上がって「よろしくお願いします」とあいさつをしましょう。

Q 面接のとき、自分の名刺は渡すべき？

A　自分の名刺は、渡さなくてよいです。
面接では、面接官から名刺を渡される場合があります。このとき、ふだんのビジネスの感覚だと「渡さないのは失礼？」と思うかもしれませんが、面接では失礼にあたりません。

もし名刺を渡されたら、両手でしっかり受け取り、面接中はテーブルの上、自分の横にきれいに置いておきましょう。面接が終わるときには、鞄に入れるのを忘れずに。

Part 6

確認の意味の質問はどう答えるべき？

確認の意味の質問はどう答えるべき？

「現実的にどうか」「自分はどう思うか」という角度で答えよう

なぜ確認をする？

面接官というのは、よりよい人材を発掘し、よい人を獲得できたら、その人にはできるだけ長く働いてもらいたいと考えています。

面接官は、応募者を落とそうと思っているのではなく、応募者のよいところを見つけようと思って、様々な角度から質問をする場合がほとんどです。

そんな面接官が面接でもっとも知りたいのは、「この応募者は当社のニーズに合っているか？」ということ。

面接で質問を重ねていき、この人なら当社が望む仕事をきちんとやってくれるだろう、利益を出してくれるだろう、と面接官が判断したとしましょう。でもそれだけでは、長く勤めてもらえるかどうかわかりません。家族はどう考えているのか、転勤は可能なのかなど、確認するべきことが多くあります。そこで、面接官は「確認」の意味の質問をぶつけてくるのです。

「無理な答え」は避ける

面接の準備というと、「面接で落ちないための答えを用意すること」と考えている人がいます。しかし、この考え方は間違い。応募者にとって大事なのは、「面接に落ちないこと」ではなく、「納得のできる働き方ができる企業に就職すること」です。

たとえ、面接に落ちないための答え（＝企業側が喜びそうな答え）を用意していても、それが現実とかけ離れたものであるとしたら、意味がないのです。たとえば毎日介護の必要がある家族を抱えている人が「長期の出張は可能ですか？」と聞かれて、無理して「はい、可能です」と答えても無意味です。面接に通りたい一心で「企業が喜ぶ答え」を用意しても、**現実がついていかなければ、また転職を考えなくてはならなくなってしまいます。**

ですので、この「確認の意味の質問」に関しては、「どう答えるか」という表面的なことでなく、実際にいまの自分ではどうか、を冷静に考えましょう。企業のニーズを考えるのはその後です。無理に自分の状況を企業のニーズに合わせても意味はありません。

優等生的な答えより「自分らしさ」

確認の意味の質問には、「趣味は何ですか？」などのパーソナリティを問うものもあります。

企業でまわりから認められるためには、仕事上の成果をあげることと人間性の両方が必要です。仕事でどんなに成果をあげても、一緒に働きたいと思われるような人間的魅力がなければ評価されないし、逆に人間的にすばらしくても仕事で結果を出さなければ認められないのです。

つまり、**面接官は応募者のパーソナリティの部分も知りたいと思っています。**このパーソナリティを問う質問に対しては、優等生的な答えよりも素直に「自分らしさ」を出したほうが好感をもたれます。

Q 今回の転職を、家族は賛成していますか？

シンプルに「賛成しています」がベスト

転職した企業を、自分は最適な職場と思っていても、待遇面や条件面などで家族が不満を抱いていれば、後々、再び転職を考えなければならなくなるかもしれません。企業側もそのことを懸念して、この質問をするのです。

ですので、この質問をされたら、**基本的にはシンプルに「はい、賛成しています」と答えるのがベストです。**

そのためには、事前に自分がどのような転職活動をしていて、仕事についてどのように考えているのかを家族に伝え、理解してもらうようにしましょう。

それは面接を成功させるためにも必要です。

以前、「転職先の考え方が親と合わない」と悩んでいる女性が、私のキャリアカウンセリングに来てくれました。彼女のご両親は「転職先は絶対大手企業にすべき」という考え。一方、彼女は「規模の小さな企業で、仕事は幅広く携わりたい」という価値観をもっていました。よって中小企業を中心に面接を受けていたのですが、実際の面接では親の意見や価値観が混ざってしまい、説得力のあることが語れなかったのです。

この方のように、家族の意見は意外と大きく転職活動に影響を及ぼします。転職に対する考え方が家族と合わない場合は、自分の信念をいま一度ハッキリさせ、家族の理解を求める努力をしましょう。

応答例 その1

はい、賛成しています。

自分でやりたいと思った仕事なのだから、とことん一生懸命やるようにと言われています。


ここがポイント！

■シンプルでOK

家族が転職そのもの、応募する企業に対する理解を示している場合には、シンプルに「はい、賛成しています」だけでもよいでしょう。

「すべての質問で何かアピールしなくては」と気負うあまり、「最初は反対していましたが、努力して説得しまして……」などと長く語ってしまうと、かえって逆効果の場合もあります。

NG例 その1

とくに今回の転職について家族の意見は聞いていませんが、私が一家の大黒柱なので、家族は基本的に反対しないと思います。

実は、家族は、残業時間が多いこと、通勤時間がかなりかかることを不安に思っているようですが、私はぜひ御社で働かせていただきたいと思っています。


ここがポイント！

■家族の了解は必ずとる

この答え方では、面接官は「採用しても、結局家族の反対ですぐ辞められてしまうのでは？」などと不安になります。

家族の理解は、事前に必ず得ておきましょう。

Q 転勤があっても大丈夫ですか？

ハッキリと「大丈夫」と言えるのがベスト

本社以外に、支社、営業所、支店などがある場合は、エリア限定職以外は基本的に「転勤はある」と考え、自分がもし転勤を命じられたら、現実的に応えられるかどうかを考えておきましょう。

とくに問題がなければ、「はい、大丈夫です」と答えるのがベストです。面接官がこの質問をするのは、転勤できる人が欲しいからです。

住み慣れた土地を離れて仕事をするのは楽なことではありませんが、転勤は昇進のステップのひとつとなっている場合も、まだ今のご時世少なくありません。

また、「転勤も大丈夫です」と答えるときの表情や態度にも気をつけてください。「転勤はできればしたくない」と思っていると、答えるときに言いよどんでしまうなど、本音が態度に出てしまう場合があります。面接官に、この人は本音では転勤をしたくないのだなと見抜かれてしまいます。

「むずかしい」場合は、伝え方に工夫を

といっても、家族に介護が必要な人がいる場合など、実際に転勤がむずかしい場合もあるでしょう。内定欲しさに、面接で安易に「大丈夫です」と言って、入社後トラブルになるようでは問題です。もし転勤がむずかしい場合は、「転勤はできません」などとキッパリ言うのではなく、**「こういう事情でいまはむずかしい」と具体的な理由を語れるとよいでしょう。**

応答例 その1

はい、大丈夫です。
前職でも、○○へ2年間、△△へ1年半転勤し、現場ならではの仕事のおもしろさを感じました。

NG例 その1

転勤はできません。
できれば転勤は避けたいと思っていますが、もし命じられたらがんばりたいと思います。

ここがポイント！

■積極的に行く気持ちがあるときにはそれを伝える

転勤を命じられてもとくに支障がない場合には、「はい、大丈夫です」「とくに問題はありません」などとハッキリ伝えましょう。

前職で転勤を経験している場合は、それを伝えることで答えに説得力が出ます。また、積極的に転勤を希望する場合は、その意欲を具体的に示しましょう。

内心は「実際に転勤になったら嫌だな」と思っていても、とくに問題がないのであれば「(転勤を命じられても) 大丈夫です」と答えるほうがよいでしょう。

また、家族の事情などで転勤がむずかしい場合には、具体的にその理由を伝えましょう。

ここがポイント！

■「できない理由」を伝える

現実的に転勤がむずかしい場合は、無理して「(転勤は)大丈夫です」と言う必要はありません。しかし、堂々と「転勤できません」と言うのもNG。転勤がむずかしい具体的な理由、転勤できない分こういうところで貢献できると思うなど、企業のニーズを考え合わせながら答えるようにしましょう。

Q ハードワークが多くなる時期もありますが、大丈夫ですか？

可能なら「はい、大丈夫です」と明確に答える

ひと昔前は、もっとストレートに「残業や休日出勤が多くなることもありますが、大丈夫ですか？」などと聞かれることもありました。しかし最近は、労働法に触れることも考慮して、遠回しに「ハードワークになるタイミングもありますが、大丈夫ですか？」などと聞く場合が多いようです。

自分の場合はどうなのかを考えて、可能なら「はい、大丈夫です」と明確に答えるのがベストです。育児や介護などでむずかしい場合には、その理由を伝えましょう。

残業や休日出勤に対する考え方は人によってさまざまで、なかには「もっと効率のよい仕事方法を考えるべきで、残業や休日出勤はできるだけするべきでない」と思っている人もいるかもしれませんが、そのような考えを面接で述べるのはNG。企業を批判するニュアンスになりかねないからです。

ところで、残業や休日出勤はやればいいというものではありませんが、長いキャリアのなかでは、ある程度がんばる時期も必要です。就業時間などを気にせず仕事に没頭し、そのときに得たスキルがあるからこそ、後に自分なりのペースで仕事ができるようになることもあります。

よって、残業や休日出勤については、単に「やりたいか、やりたくないか」だけでなく、**自分のキャリアプランを踏まえて、いまはどのような働き方をすべきかを考えられるとよいでしょう。**

応答例 その1

はい、基本的に大丈夫ですが、保育園に預けている子どもがおりますので、残業ができる時間帯は限られてしまいます。ですが、夫の協力も得て、できるだけ業務に支障をきたさないように努力したいと思っています。また、早朝出勤や自宅へ持ち帰るなどして対応させてもらえればと考えています。

NG例 その1

はい、たぶん大丈夫だと思います。効率のよい仕事をするように努力・工夫し、残業や休日出勤はできるだけしないようにしたいと思っています。

ここがポイント！

■むずかしい場合は、具体的な理由を語る

とくに問題がなければ、明確に「大丈夫です」と答えましょう。

現実的に、残業や休日出勤がむずかしい場合には、具体的な理由を述べます。

ただし、「そういう理由があるのだから、残業や休日出勤はできなくて当たり前」といったニュアンスにならないように気をつけてください。残業できないやむを得ない事情がある場合は、相談するかたちで交渉しましょう。

ここがポイント！

■言葉だけでなく表情や態度も見られている

この質問をされたときに、「えっ……」と躊躇するような態度をとったり、例のように「たぶん大丈夫だと思います」などと言ってしまうと、面接官は不安になります。「がんばります」というあいまいな答え方も同様。

また、仕事のやり方を工夫して、できるだけ残業や休日出勤をしないようにすることは、基本的に正しい考え方ですが、この質問で語るべきことではありません。

Q 休日はどのように過ごしていますか？

どんな人物か、を探る意味も

企業の仕事は、基本的にチームワークです。社員同士の結束が求められます。

このため、企業は、他の社員と協力し、結束のとれる人、また他の社員によい影響を及ぼすような人を欲しいと思っています。

そこで、面接では「この応募者はどんなタイプの人なのか」もチェックします。この質問は、それを知るためのもの。また、緊張している応募者をリラックスさせるために聞く場合もあります。

この質問をされたら、肩の力を抜いて、普段の自分を伝えるようにしましょう。ここで面接官との会話が盛り上がれば、リラックスできて、その後の面接もうまく進む可能性が高まります。

答えの内容は、とくに気負う必要はありません。無理に仕事や自己啓発に絡んだものにするなど、**優等生的な答えより、自分らしさが出る答えのほうが、面接官は興味をもちます。**

心掛けたいのは、会話が広がるような答え方をすること。そのためには、「映画が好きで、毎月最低3本は映画館で観ています」など、できるだけ具体的に語るようにしましょう。「どんな映画が好きなのか？」「最近観た映画でおもしろかったのは何か？」など、聞き手がさらなる興味をもてるような内容にするのがポイントです。

「休日はのんびりしています」「子どもと遊んでいます」など、抽象的な答え方だと、話が盛り上がらずに終わってしまいます。必ず具体的な補足をしましょう。

応答例 その1

マラソンが好きなので、休日の朝はジョギングをしに外に出掛けることが多いです。

また、ベストセラーを読むのも趣味のひとつです。休日はよく大型書店に行き、大量の本を買ってきます。


ここがポイント！

■**複数挙げるのも方法のひとつ**

この質問は、答えの内容より、面接官との会話が弾むか否かが重要。休日の過ごし方を複数挙げて、面接官との共通の話題が生まれやすいようにするのも方法のひとつです。

また、「ピアノを20年以上習っていまして、休日はピアノを弾いていることが多いです」など、継続力をアピールすることもできます。ただし、「アピールしよう」と気負いすぎないことも重要です。

「趣味は海外旅行です。有給休暇をフルに使ってヨーロッパに何度か行きました」など、面接官が「業務に支障をきたすのでは？」と思ってしまうようなことは言わないほうがよいでしょう。

NG例 その1

英会話スクールに行ったり、異業種交流会に参加していることが多いです。家にいるときは、ビジネス関連の書籍を読んでいることが多いです。

ここがポイント！

■**仕事に絡めなくてもいい**

無理に仕事に絡めた内容にする必要はありません。

また、女性が言ってしまいがちなのが「ショッピング」。とくに男性の面接官は、この答えにどう反応してよいかわからず困ってしまうそうです。

Q いつから出社できますか？

具体的な時期を伝えよう

この質問には、「入社の意志がどれくらいあるか」を確認する意味があります。また、企業は中途採用者を迎えるにあたって、事務手続きなどの準備が必要。その具体的なスケジュールづくりのために聞く場合もあります。

どちらの場合も、**「○月上旬頃から可能です」など、具体的な時期を言うようにしましょう。**

すでに離職している場合、あまり先延ばしにすると、入社の意欲を疑われてしまいます。「来週からでも可能です」など、できるだけ早い時期を伝えましょう。少し間が欲しい場合は、その理由も伝えましょう。

他社の結果待ちという場合は、「できるだけ早い時期に入社したいと考えておりますが、実は現在、ほかに受けている会社が1社あります。そちらの結果が来週出る予定です。転職を真剣に考えたいので、そちらを待って考えさせていただきたいと思っているのですが、よいでしょうか」などと言ってみましょう。

在職中の人の場合は、あらかじめ、残務処理、引き継ぎなどにどれくらいの時間がかかるかを考えておきましょう。

入社を待ってもらえるのは、一般的に「2か月以内」です。

2か月以上かかる場合は、具体的な理由を述べて、「こういう理由で、出社できるまでに3か月くらいかかってしまいそうなのですが大丈夫でしょうか」などと、相談するかたちで交渉するとよいでしょう。

応答例 その1

以前同じ部署にいて辞めた先輩から、残務処理と引き継ぎに3週間かかったと聞きました。現在、私が担当している業務の案件も3週間単位のものが多いので、内定後、3週間はお時間をいただければありがたいです。

NG例 その1

できるだけ早く出社したいと思っていますが、引き継ぎと残務処理にどれくらい時間がかかるのか読み切れない部分がありまして……。少なくとも今月中は無理です。

ここがポイント！

■2か月以内が目安

内定から出社までの期間は、一般的に2か月以内が目安です。ただし、企業によって一日でも早く来てほしいと考えるところもあれば、入社時期はこだわらずとにかく逸材を求めているという企業もあります。

在職中の人は、応募先企業のニーズを考え、かつ現在の職場に極力迷惑をかけない時期を考えましょう。転職を成功させることは大事ですが、いまの会社にできるだけ迷惑をかけないような辞め方をすることも大事なマナーです。

ここがポイント！

■「答え方」にも注意を払う

面接の答えは、内容も重要ですが「答え方」も大事です。現実にすぐに出社できるような状況でない場合にも、「すぐには無理です」「すぐには出社できません」など断定的な言い方にならないように注意しましょう。面接は、交渉・相談の場でもあるのです。相手が望むような答えを言えない場合は、こちらの要望を伝えつつ、それが可能かどうかを相談するかたちで伝えられるとよいでしょう。

Q 給与はどれくらいを希望しますか？

給与の話は応募者から切り出さないのが基本

給与の額は、転職先の条件のなかでももっとも気になることのひとつでしょう。

しかし、**面接で自ら率先して給与の話を持ち出すのはＮＧです**。面接官に「この人は、条件だけで転職先を選んでいるのでは？」と疑われてしまうからです。

給与などの条件面については、応募者が敢えて切り出さなくても、内定が出るまでのどこかの過程で、企業側が確認するのが一般的です。もし最後まで給与の話が出なかったら、内定後に確認をとりましょう（このとき、給与の額に折り合いがつかなければ、内定を辞退、または交渉すればいいのです）。

企業によっては、最終面接の終盤などに、面接官が「給与はどれくらいを希望しますか？」と聞く場合があります。基本的には、「前職と同額くらいを希望します」と答えるのが無難です。

といっても、給与の額は、業界によっても大きく異なります。「具体的な数字を言うと、それを理由に落とされてしまうのでは？」と不安に思う場合は、「御社の規定に従います」などと言う、あるいは逆に「御社では、私ぐらいの年齢と経験の社員の方は、いくらぐらいですか？」と聞く方法もあります。

給与の額は、求人情報のなかにある「給与例」がありますが、これは同じ会社の社員のなかでも「とくによい例」を載せている場合もありますので注意が必要です。

応答例 その1

御社の規定に従います。参考までにお聞きしたいのですが、御社では、私と同じくらいの年齢と経験の社員の方は、おいくらぐらいですか。

ここがポイント！

■具体的な数字を提示する場合は、それが妥当かどうか見極める

具体的な数字を言う場合には、その額が、自分の経験や能力に見合ったものなのか、応募先の業界では常識的な額かどうかを見極めましょう。

各企業の給与の額は、求人情報に「給与例」として載っている場合があります。応募先企業の求人情報だけでなく、同業種の企業の求人情報を幅広くチェックしてみると、おおよその額がわかります。

また、未経験分野への転職の場合は、前職の額より少なめを提示するのが一般的です。

NG例 その1

前職では、5年間、ほぼ給与の額が変わらず、将来への不安から会社を辞めました。

養わなくてはならない家族もおりますので、最低でも年収○○○万円を希望しています。

ここがポイント！

■家の事情は持ち出さない

給与の具体的な希望額を言うのは悪いことではありませんが、その理由に「家の事情」を持ち出すのはNGです。たしかに給与は家計を支える重要なものですが、それは応募者側の都合です。給与の希望額は、「これまでの経験と知識を生かして、企業にいくらぐらいの利益をもたらすことができるか」という企業側の視点で考えましょう。

また、「とくに希望はない」「いくらでもいい」などの答えは、「交渉能力がない人」「最低賃金のスタートでよい人」と思われてしまう場合もあるので注意してください。

Q 当社以外にどこかほかの会社を受けていますか？

「受けている」ことを正直に言おう

転職活動は、同時に複数の企業に応募し、筆記試験、面接を受けていくのが一般的です。並行して複数の企業の面接を受けることで、各企業の特徴や、自分の向き・不向き、自分のやりたいことなどが見えてくる場合は少なくありません。「一社ずつ」受けるより効率がよいのです。

面接官も、ほかの会社を受けていて当然と考えている場合がほとんどなので、この質問をされたら、正直にそのときの状況を答えましょう（企業名まで答える必要はありません）。

面接官が知りたいのは「企業選びのポイント」

この質問で面接官が知りたいのは、**ほかの会社も受けているかどうかよりも、応募者の企業選びのポイントです。**企業を、条件やイメージだけで選んでいないかをチェックしようとするのです。

では企業選びのポイントとは何でしょう？

ここでもう一度確認しておきたいのが、面接の準備でもっとも大事な、「自分には何ができるか（＝can）」「自分はどんな職場で、どんな仕事をやりたいか（＝want）」「企業にはどんなニーズがあるか（＝need）」の3つです。この要素は企業選びのときにも重要で、**応募先企業はこの3つの要素を満たすところであるべきなのです。**ここがブレていなければ、この質問をされても困らないでしょう。

応答例 その1

はい、五社受けています。二社は現在面接の結果待ちで、三社は書類選考の結果待ちです。

ここがポイント！

■基本的に正直に答えてOK

企業の面接官は、「ほかの会社も受けていて当然」と考えている場合がほとんどですので、そのときの状況を正直に話してOKです。「ほかの会社を受けているということは、当社への入社意欲は低いのだな」などと考える面接官はほとんどいないので安心してください。

といっても、不利になるような情報まで話す必要はありません。「何社も受けているけれど落ちている」などは、たとえ事実であっても言わなくていいのです。

NG例 その1

いえ、御社のみです。あまりいろいろ受けて気を散らしたくないのと、正直以前すべて落ちてしまい、活動を再スタートさせているからです。

ここがポイント！

■在職中か離職中かでも変わってくる

「現在在職中で、転職先は急いで決めたくない、一社一社慎重に検討していきたい」と考える人もいるでしょう。このような場合は、この考えとともに「ほかには受けていない」ことを伝えるとよいでしょう。

すでに離職している人の場合、このような答え方をすると、面接官に「現実的な検討ができない人なのでは？」などと思われてしまう場合があります。

Q 最近の新聞記事で気になったものは何ですか？

転職活動中は新聞を読む習慣をつけよう

この質問は、「今朝の新聞で気になった記事はありますか？」などと聞かれる場合もあります。また「新聞などを読んでいて、業界の将来性についてどう思われますか？」など、角度を変えた質問をされる場合もあります。

応募者の年齢が高いとき、マネージャークラスなどポジションが上の人を求める場合などによく聞かれる質問です。

最近は新聞を読まずＳＮＳで流れてきたニュースだけを見る、という方も多いようですが、**せめて転職活動中だけでも、毎日、新聞（ｗｅｂでもＯＫ）を読むことをおすすめします。時事ネタ**が集団面接で問われることや、グループディスカッションでテーマになることもあります。

また、企業は、できるだけ視座の高い人、環境の変化をわかっている人を採用したいと考えています。応募企業が、現在の社会環境のなかでどういう位置付けにあり、どういう役割を果たしているのか、その企業のなかの仕事はどうあるべきなのか、環境の変化に応じて、企業は、そして自分は何をすべきかなどが見えている人を望んでいるのです。要は、世の中の全体を見て、会社や自分の仕事について考えられる人。これらを考えるには、やはり新聞を読んでいることが大事でしょう。

面接は自分をアピールする場です。「気になる記事は？」と聞かれた場合、できれば応募企業の業界や職種に関連するものがよいでしょう。芸能ネタなどはそのときマスコミでどんなに話題になっていたとしても避けるべきです。

応答例 その1

〇〇企業のマレーシア参入についての記事です。〇〇企業のマレーシア参入の背景には少子高齢化の問題があると思いますが、この問題は基本的にどの業界も無視できないと考えます。たとえば親の介護をしなければならない年代のうち中心になっているのは、管理職の世代です。管理職世代の社員が一斉に介護休暇をとるような事態になれば、業績に影響を与えます。よって、そのような事態にならないようなシステムの構築が必要になると考えています。

NG例 その1

えっと……。新聞はとっていないので、いつも読んでいません。気になる記事は……、わかりません。

ここがポイント！

気になった記事の内容のみを話すのではなく、どうして気になったのか、その記事に対して何を感じたのかなど自分の考えも入れるようにしましょう。応募企業に関連するものであれば尚よいでしょう。応募企業や業界のことをきちんと勉強しておけば、「よく調べていますね」などと評価される場合もあります。また、自分自身の「ここで働きたい！」というモチベーションアップにもつながり、面接全体によい影響を及ぼすはずです。

ここがポイント！

基本的に「わかりません」で終わらせてしまうのはNGです。わからなかったら、わからないなりに機転を利かせて「今日は新聞を読んでいませんが、ネットの経済関連のニュース記事で気になったものを見つけました。それは～」などと言えるとよいでしょう。「わかりません」で終えてしまうのは、考えるのを放棄していることにもなります。

面接に関する素朴なギモン Q&A

Q 面接中、メモをとってもいい？

A メモをとっても問題ありません。

面接官は、自分が重要な話をしているときに、応募者がメモをとっていると、「この人はきちんと話を聞いてくれているな」と感じる場合も少なくありません。

ただし、メモをとることだけに一生懸命にならないでください。メモをとるのに必死になるあまり、面接官と視線を合わせられないようでは困ります。

また、メモをとる場合は、あらかじめメモ帳と筆記用具を手元に用意しておきましょう。面接の途中で、鞄をゴソゴソやって取り出す、などということにならないように。

Q 面接で出されたお茶は飲んでいい？

A せっかく出してくれたお茶なので、飲んでください。

「どうぞ」と言われるまで待っていなくても大丈夫です。ただし、飲むときには「いただきます」と言うのを忘れずに。

お茶がとってもおいしいと感じたら、素直に「おいしかったです」と言ってもいいのです。

Part

7

企業へのギモン、どう切り出したらいい？

面接は、情報収集の場でもある！

面接は、応募者が企業を選別する場でもある。しっかり情報収集しよう

企業を「選ぶ視点」をもとう

中途採用の面接というと、企業が「採用する人を選ぶ場」という印象が強いかもしれません。たしかに、採否の権限は企業側にありますが、内定後、最終的に入社するかしないかを決める権限は応募者側にあります。つまり、**面接では応募者が「本当にこの企業でよいのか」という、企業を選ぶ視点をもつことも大切なのです。**

面接は、自分を売り込む場だけでなく、企業のよしあしを判断する、情報収集の場でもあるのです。よって、面接はできるだけ多くの情報を収集する努力もしましょう。とくに不明瞭な点がある場合は、面接で必ず確認してください。

「こちらからいろいろ質問をしたら、印象を悪くするのでは？」と不安に思うかもしれませんが、そんなことはありません。聞き方によっては、「意欲の表れ」として、好印象を与えることもあるのです。

といっても、面接でやたらと質問をぶつければいいというわけではありません。

とくに注意したいのが、給与や残業の有無など条件面に関する質問です。応募者にとってはもっとも気になることのひとつですが、これらは面接の最終段階で、あるいは内定時に企業側から説明があるのがふつうです。

面接での「感覚」を大事にしよう

面接で得る情報で大事にしてほしいのが「感覚」です。面接会場を訪れて、社内の人と接したときの感覚、面接官と話しているときの感覚、社内の雰囲気から得る感覚などに敏感になってください。

とくに気をつけたいのが、面接官との会話がどうも弾まなかった、面接官とのやりとりに違和感があった、などのマイナスの感覚です。**面接で受けた感覚というのは、入社後に感じる感覚と似ている場合が多いのです。**以前から憧れていた企業などであった場合、そのマイナスの感覚はなかなか認めたくないかもしれません。しかし、「面接での感覚は気のせい」と片付けてしまい、入社後に「やはり社風が合わなかった」と嘆く人は少なくないのです。

マイナスの感覚があったら、何が違うと感じたのか、具体的に言葉で表しておきましょう。次に生かせます。

一方、**プラスの感覚も大事です。**実際に面接を受けてみると、「実はそれほど興味のない職種だったけれど、面接官の話を聞いているうちにやってみたいと思うようになった」などと感じる場合があります。

面接では、自分の頭だけで考えていたときには気づけなかったことに気づく場合もあります。よい意味で「思っていたことと違った」という発見があるのです。この感覚も大事にしてください。「面接ではよいと思ったけれど、前から考えていたのとは違う仕事だから」などと、従来の考えにとらわれていると、結果的によい転職ができない場合も少なくないのです。

Q 入社後、具体的にどんな仕事を任せられる？

「現場」の人に会わせてもらおう

「事務職として採用されたのに、入社したら営業をやらされた」など、入社後の仕事が思っていたものと違った、という不満を聞くことがあります。

しかし、このような人の話をよく聞いてみると、**面接のときにきちんと仕事の内容を確認していなかった場合が多いのです**。また、面接のときに経営者や人事担当の社員としか会っておらず、入社後実際に一緒に働くことになる直属の上司や少し上の先輩などに会わせてもらえなかったケースも多いのです。経営者や人事担当者だと、具体的な仕事内容を話せない（わからない）場合もあります。

とくに経営者の場合、面接でも応募者に対して企業のビジョンや自分の理念を熱く語ります。しかし、実際に入社すると「社長が理想を言っているだけで現実が追いついていなかった」というパターンも少なくないのです。なので、基本的に経営者の話は鵜呑みにしないようにしましょう。

面接で、経営者や人事担当者の社員としか会えなかった場合は、「現場の社員の方に会わせてもらえませんか？」と聞いてみましょう。そして具体的な仕事内容を聞きます。

もし「現場の社員には面接では会わせられない」と言われたら、その会社への応募を潔く取り下げる気持ちも必要です。

わからないことは遠慮しないで、その場で、または早い段階で追って確認しましょう。

質問例 その1

求人広告の仕事内容に「マーケティングリサーチ」と書かれていましたが、具体的にはどのようなお仕事をすることになるのでしょうか？
もし同じ仕事の社員の方がいましたら、その方の一日の流れを教えていただけますか？

ここがポイント!

■仕事内容は細かく確認する

求人情報のなかには、仕事内容について「企画」「マーケティングリサーチ」など、簡単にしか書いていないものもあります。気をつけたいのは、言葉のイメージで仕事内容を勝手に判断しないこと。マーケティングリサーチといっても、実際は電話営業の場合もあるのです。
また、同じ営業でも個人営業なのか法人営業なのか、取り扱う商品の内容、商品の市場シェアなどで、その仕事内容は大きく異なります。必ず具体的な仕事内容を確認するようにしましょう。

NG例 その1

求人広告の仕事内容に「マーケティングリサーチ」と書かれていましたが、これは、いわゆる電話営業ではないですよね？

ここがポイント!

■後ろ向きな姿勢で聞かない

「こういう仕事はやりたくないのですが……」というニュアンスが伝わるような聞き方はNGです。
また、仕事内容の質問をすると逆に「こういう仕事をやってもらいたいと思っていますが、できますか?」などと聞かれる場合があります。たとえそれが未経験であっても「経験はないのですが、ぜひやらせていただきたいと思います。一日も早く成果を出せるよう努力したいと思っています」などと前向きな答えができるとよいでしょう。

Q 給料はいくらぐらいもらえる?

企業側から提示される場合が多い

「給料をいくらもらえるか?」は、転職先を選ぶ際にもっとも気になることのひとつでしょう。

お金の話は切り出しにくいと思う人もいるかもしれませんが、給与のことについてはそれほど心配する必要はありません。なぜなら、給与については、面接の終盤、あるいは内定後など、最終的に応募者が入社するか否かを決めるまでの間に、どこかで企業側から提示される場合がほとんどだからです。企業側から提示されたら、求人情報に書かれていた内容と大きく隔たりがないかなどを確認しましょう。

しかしなかには、最後まで給与の説明がない企業もあります。その場合は、内定が出てからきちんと確認をとるようにしましょう。この段階での給与の確認は、むしろ常識です。

ところで、給与の額は求人情報に掲載されている場合がほとんどですが、ここに示されている額は参考目安のひとつとして考えましょう。

「固定給制20万円~40万円」など、自分が実際にいくらもらえるのかわからない場合も少なくありません。また、「《30歳年収例》年収〇〇〇万円」などの年収例が出ている場合もありますが、これは社内のなかでも「よい年収」と考えてください。同じ年齢であっても同じ年収を得られるとは限りません。

「求人情報に載っていた額をもらえるはず」と勝手に判断せずに、最終的な確認は必ずすることが大事です。

質問例 その1

給与についてお聞きしたいのですが、社員の方で、私と同じくらいの年齢、経験の方では、年収はいくらぐらいになりますか？

NG例 その1

前職では年収○○○万円でした。御社での仕事では、これまでの経験も生かせると思いますので、年収○○○万円はいただきたいと考えているのですが、御社ではいくらいただけますか？

ここがポイント！

■ストレートに聞かないのがポイント

この質問をするのは、最終面接の終盤、もしくは内定後にする、というのが前提。焦って、面接の前半などに聞かないようにしましょう。「気になるのは条件だけなのか？」などと面接官に思われてしまいます。

また、質問をするときには「給料はいくらもらえますか？」「年収はいくらもらえますか？」など、ストレートに聞かないのもポイントです。具体的な数字の提示を求められても、面接官は答えられない場合もあります。応答例のように大まかな年収を聞き出すのがよいでしょう。

ここがポイント！

■給与交渉は焦らない

給与交渉についての考え方は企業によって違い、外資系企業のように「交渉はあって当然」と考える企業もあれば、「給与交渉は、入社して実績を挙げてから」と考える企業もあります。求人広告や面接のときの話の流れなどからどちらのタイプの企業かを見極めるのが大事でしょう。

給与交渉は、企業側が給与額をどれくらいに設定しているのかを確認した後でも遅くはありません。

実際、残業はどれくらいある?

面接の前にある程度は調べられる

残業や休日出勤の有無、頻度などは、業界、職種によって異なります。残業が当たり前の業界・職種もあれば、通常はほとんどなく、あっても繁忙期だけというところもあります。

まずは、面接を受ける前に、応募する企業と同じ業界や職種で働く知人などに、日頃の仕事の状況を聞いてみましょう。それである程度は、応募先の状況も推測できます。

最近の傾向としては、残業は減らす企業が増えてきています。残業や休日出勤をどうしてもしたくない、あるいは育児や介護などどうしてもできない特別な理由がある場合などは、企業選びの段階で残業や休日出勤が少ないところを探す、または、思いきってパートなどの時間労働が可能な雇用形態に切り替えて探すということも考えてみましょう。

面接官を不安にさせない聞き方をする

残業や休日出勤の有無についての質問は、残業についての考え方は企業によって異なる、ということを踏まえて、ストレートな聞き方にならないようにしましょう。ストレートに聞くと、面接官は「この応募者は残業や休日出勤をしたくないのだろうか」などと不安になります。

そんな不安を与えないためには、**質問をするプラスの理由をつけるのがポイントです。**

質問例 その1

入社したら、できるだけ早く仕事を覚えて、ほかの社員の方と同じようなペースで仕事をさせていただきたいと思っています。現在、社員の方たちは毎日何時頃までお仕事なさっていますか？

ここがポイント！

■前向きな姿勢で聞こう

残業についての考え方は企業によって異なることを前提に聞くのがポイントです。「残業や休日出勤はどれくらいですか?」などと、残業はあって当然という聞き方はやめましょう。

この質問をするときには、なぜこの質問をするのかというプラスの理由を必ずつけます。面接官に「残業が嫌な人なのだな」と思われないようにするためです。

また、日常的に残業の多い企業では、面接官のほうから「うちは残業が多いけれど大丈夫?」などと聞かれる場合があります。

NG例 その1

どこの会社も、会社全体で仕事の効率を上げる方法を考えれば、残業や休日出勤はかなり減らせると思っているのですが、御社では毎日何時頃まで残業がありますか？

ここがポイント！

■残業に対する自分の考えは言わなくていい

たしかに企業のなかには、社員に無駄な残業や休日出勤をさせているところもあるでしょう。しかし面接の場で、残業や休日出勤そのものに対する考え方を述べるのはNGです。応募先企業を批判することにもなりかねません。

また、どうしても残業や休日出勤ができない理由がある場合は、その具体的な理由を述べてから質問するようにしましょう。

Q 結婚、出産をしても続けられる？

積極的に質問して問題ナシ

結婚、出産後も働きやすい会社か否か——。もっとも判断しやすいのが、「私は結婚、出産後も働き続けたいと考えているのですが、御社の女性社員のなかで仕事と育児を両立している方はいらっしゃいますか？」などと、前例があるかないかを聞く方法です。前例があれば、まず大丈夫と考えてよいでしょう。

また、たとえ前例がなくてもOKな場合は少なくありません。たまたまこれまでそういう女性社員がいなかっただけで、企業側に特別な考えがあるわけではないという場合もあるのです。

この質問をしたときの面接官の反応をチェックしてみてください。結婚、出産後も働き続けようとする女性を歓迎する企業かどうかを推測できます。残念ながら企業のなかには、いまでも「女性社員は結婚や妊娠を機に退社するのが普通」と考えるところも少なからずあります。

ところで、「女性の既婚者は転職で不利になる。だから結婚する前になんとか転職しなくては」と考える女性がよくいますが、実際に、**結婚していることが採用に影響を与えることはほとんどありません**ので心配は無用です。

また、30代で結婚している女性だと、（出産などで）すぐ辞めてしまう人と思われるのでは、と危惧している人もいますが、その心配もあまり必要ありません。仮にそう考える企業は、結婚、出産のタイミングで苦労する企業と考えてください。

質問例 その1

すでに結婚をしていますので、将来子どもをもちたいと思っていますが、出産後も仕事を続け、長く会社に貢献したいと考えています。
御社の女性社員の方には、出産後も働き続けている方はいらっしゃいますか？

NG例 その1

私は、結婚、出産をしても働き続けたいと考えていますが、御社の育児休暇制度は、実際、社員の方にどの程度活用されているのですか？

ここがポイント！

■「いますぐの予定はない」ことを前提に聞く

まずは「結婚、出産後も働き続けたい」という意思を示してから聞くのがポイントです。
また「結婚や出産の予定は、いますぐにはない」というニュアンスがどこかに入るとよいでしょう。「入社後早々に長期休暇をとられたのでは困るな」と不安に思う面接官もいるからです。

ここがポイント！

■制度の活用度を聞くと、誤解される場合も

育児休暇制度など、仕事と育児の両立をめざす社員を応援する制度がどれくらい活用されているかは、結婚・出産後も働きやすい会社かどうかを判断するひとつの目安になります。
しかし、面接でストレートに「制度はどれくらい活用されているか？」を聞くのはNGの場合もあります。面接官に「休む気満々の人だな」と誤解される場合もあります。

Q 社風はどんな感じなのだろう?

社内の雰囲気から読み取ろう

転職先で気持ちよく働き続けるためには、社風のチェックも重要です。

実際の社風は、入社してみないとわからないことも多々ありますが、面接の雰囲気などからある程度知ることができます。社風については、「質問して聞く」というよりは、社内の雰囲気などから「感じ取る」と考えたほうがよいでしょう。面接のとき、次の点をチェックしてみてください。

【社員の服装や髪形】……男性は全員スーツを着用、女性社員は制服という場合、保守的な雰囲気がある場合が少なくありません。ただし、茶髪の社員が多いとある程度自由度が高い、若手が多いなどということもあります。

【社員同士の会話】……社員同士で話しているときの社員の表情は明るいか、言葉遣いはどうかなどをチェック。上司を「○○部長」など肩書でなく「○○さん」と名前で呼んでいる場合は、上下関係はさほど厳しくないこともあります。また、外部からの電話への対応の仕方で、その会社の雰囲気がわかるときもあります。

【オフィスの雰囲気】……社員の机まわりが整理整頓されているか、応接室はお客様を通すのに適切に片づけられているかなどをチェック。机まわりが雑然とし、ゴミ箱にゴミがいっぱい入っている場合は、相当忙しい職場である場合も。

また、社員の机に私物が置いてある場合は、ある程度自由な雰囲気であることが多いでしょう。

質問例 その1

もし可能でしたら、社員の方々が働いている部屋を見学させていただけませんか？

ここがポイント！

■**実際に見せてもらおう**

面接会場が会議室であった場合などはとくに、社内の雰囲気を知るのは困難です。こんなときは、「社内を見学させていただけませんか？」と頼んでみましょう。「百聞は一見にしかず」です。実際に社員が働いているところを見ると、その会社の雰囲気がわかります。

また、「社員は会社のどんな点が好きなのか？」を聞くのもひとつの方法です。

NG例 その1

御社の社風は、どのような感じなのでしょうか？

ここがポイント！

■**具体的に聞く**

「社風はどのような感じなのか？」という聞き方は、ストレートですが、実は抽象的で面接官が答えにくいものです。

もし、「和気あいあいとした楽しい会社ですよ」などと答えてくれたとしても、それは面接官の主観であったり、企業PRの場合も少なくありません。しかも答えを聞いてもいまひとつピンとこない場合がほとんどでしょう。

質問をするのであれば、「入社したら一日も早く社内の雰囲気に溶け込みたいと思っていますが、仕事のあとに社員同士でお酒を飲みに行ったりすることもありますか？」など具体的に聞くのがポイントです。

Q ノルマはどれくらい課せられる？

ノルマに対する後ろ向きな姿勢は見せない

とくに営業職を希望する人にとって、月にどれくらいのノルマ（数値目標）が課せられるか、は気になるところでしょう。

企業のなかには、営業担当者がどんなにがんばっても達成困難なノルマを社員に課しているところもあります。このような企業では、ノルマが厳しいことを理由に退職する人も少なくありません。

しかし、とくに営業職では、基本的にどんな企業でもノルマがあると考えてください。非現実的な数値は別ですが、適正な数値であれば、ノルマは社員のやる気につながります。また、達成したときには社員の喜びは大きい。それが報酬に還元されれば、社員にとっては大きなモチベーションになるでしょう。

面接でノルマについて質問をするときには、このような、**ノルマに対して前向きな姿勢であることを述べるのがポイントです**。いきなり「ノルマはありますか？」「数値目標はどれくらいですか？」などと聞くと、面接官は「ノルマが嫌なのか？　最初から達成させる自信がないのか？」などと疑います。

営業職を求める面接官は、とにかくやる気のある人に来てほしい、特別な根拠がなくても、とにかく「ノルマは達成させてみせる」という意気込みがある応募者がいい、と考える人も少なくありません。ですので、ノルマへの不安を感じさせるような言動や表情にならないように気をつけてください。

質問例 その1

前職では「月○件」という数値目標がありました。毎日の業務のモチベーションアップにつながり、また達成したときにはとてもうれしく、仕事のやりがいも感じました。

御社では、私と同じくらいの経験、年齢では、どれくらいの目標設定をされているか、教えていただけますか？

NG例 その1

前職では、毎月○○円という厳しいノルマを課せられていました。この数字は、実は非現実的な数字で、先輩社員でも達成できている人はほとんどいませんでした。御社では、毎月いくらぐらいのノルマが課せられるのでしょうか？

ここがポイント！

■**まずはノルマへの前向きな姿勢を示す**

具体的にどれくらいのノルマがあるかを聞く前に、ノルマに対する前向きな姿勢を示すことがポイントです。

前職で、「○期連続数値目標達成」「社内売上順位○位」などの実績があれば、それを盛り込むことでアピールにもつながります。

ノルマに関しては、どのように質問するかも大事ですが、面接官の反応もきちんとチェックしましょう。言葉を濁したり、「そんなことに最初からこだわるようでは……」というニュアンスが感じられたら、相当厳しいノルマを課している可能性もあります。自分の仕事への価値観と合っているかどうかを冷静に検討しましょう。

ここがポイント！

■**ノルマへの不安は、正直に語らない**

たとえ前職で厳しいノルマがあり、それを理由に辞めたとしても、それを正直に面接の場で話すのはNGです。

ノルマを課せられることに極端に不安を覚える場合は、営業職のなかでもノルマのない企業（市場シェアを獲得していて顧客が固定しているところなど）や、自分の能力や性格に合った営業方法を展開している企業を探すというのもひとつの方法です。

Q リモートワークは導入されている？

リモートの内容は様々

コロナ禍以降、リモートワークを導入する企業は増えました。

しかしその内容は企業や職種によって様々です。①基本的に勤務時間はすべてリモート、②週のうち二、三日はリモート、③出勤するかリモートにするかは基本的に社員自身が決められる、などの場合があります。

また、企業によってはリモートワークを行ってよいのは自宅のみでカフェやコワーキングスペースなどでの業務は原則禁止、場所はどこでもＯＫだが勤務時間やアプリの使用状況などの監視ツールを導入している、というところもあります。

つまり企業のサイト等に**「リモートワークを導入」と書かれていても、その内容は企業や職種によって異なるので、自分が思い描いているものと違う可能性もあるのです。**リモートワークで働きたいという場合には、その内容についてしっかり確認しておきましょう。

またどうしてリモートワークを望むのか、前向きな理由を用意しておきましょう。

ちなみに、中途採用の面接の形態には対面とオンラインがありますが、この形態はその企業の業務形態と関係している場合が多いです。社員が出社して仕事をしている、または出社しないと業務に支障が出る企業では対面の面接を、リモートワークでも業務に差し支えがない企業ではオンライン面接を積極的に導入している傾向があります。

質問例 その1

御社はリモートワークを導入されているとのことですが、現在、社員の方は週にどれくらいリモートワークをなさっていますか？

NG例 その1

御社は、リモートワークは導入されていないのですか？

ここがポイント！

コロナ禍でリモートワークを導入した企業でも、感染状況の改善によって徐々にリモートワークの率を減らしている場合もあります。よって、企業のサイトなどにリモートワークを導入している旨が書かれていても、必ず「現在の状況」を確認しましょう。

前職でリモートワークをしていた場合、他の社員とのコミュニケーションで何か工夫していた点はなかったでしょうか。具体的に言えると、アピールポイントのひとつになります。

ここがポイント！

中小企業や地方の企業では、リモートワークを導入していないところも少なくありません。企業のサイト等にもリモートワークに関する情報がない場合には、「御社は、今後はリモートワークを導入する予定はございますか」などと聞くといいでしょう。

「子どもの急な発熱などの場合に、リモートワークの制度があると安心だと考えています」など、質問した理由も添えられると尚いいです。

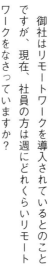

面接に関する
素朴な
ギモン
Q&A

Q 面接でわからないことを聞かれたときは、どう答えればいい？

A 正直に「わかりません」と答えましょう。ただし、その言い方に注意が必要です。堂々と「わかりません！」と言うのでなく、「申し訳ありません。勉強不足でわかりませんので教えて頂けませんでしょうか」など、謙虚な姿勢で伝えましょう。とくに、「仕事内容はわかってもらえましたか？」という質問に、正直に「わかりません」と言えない人が多いようです。しかし、仕事内容は何より重要。少しでも不明点がある場合は、「この部分をもう少し詳しく教えて頂けませんか」などと、納得のいくところまで聞いてください。

Q 面接には、何を持っていけばいい？

A 企業から指定された提出書類、履歴書・職務経歴書（企業から指定されていなくても必ず持っていきます）、面接会場の場所を記した地図、連絡先、筆記用具（ボールペン等のほか、シャープペンシル、消しゴムも用意。面接当日、筆記試験が実施される場合があります）、現金、時計、携帯電話・スマートフォン、印鑑（交通費が支給される場合、領収書に捺印が必要になる場合があります）、ハンカチ、ティッシュ等。以上のモノとＡ４サイズの書類が入る鞄（面接のときに企業側から資料などを渡される場合があります）を持っていきましょう。

STAFF
デザイン◆株式会社グラフト　風間正江
図版デザイン◆つむらともこ
イラスト◆井塚剛
編集協力◆山田由佳

●著者紹介

藤井 佐和子（ふじい さわこ）

大手人材バンク会社のカウンセラー経験を経て、現在はフリーのキャリアアドバイザーとして活躍。学生から社会人までのキャリアクリニック（カウンセリング）、セミナーを行っている。これまでカウンセリングした転職希望者の人数は、延べ１万7000人以上。表面的なキャリア形成ではなくライフプランまで含めた本質的な働き方を提唱するカウンセリング内容に定評がある。
著書に『どんな職場でも求められる人になるためにいますぐはじめる47のこと』（ディスカヴァー・トゥエンティワン）、『女性社員に支持されるできる上司の働き方』（WAVE 出版）等。

株式会社キャリエーラ代表。
JCDA認定　キャリアデベロップメントアドバイザー
ARM公認　EQプロファイラー　国際EPAコンサルタント
また、個別の職務経歴書添削サービス、キャリアカウンセリングサービス等も行っている。
詳しくは、https://sawako-women.net

最新版 転職面接

2023年６月15日　初版発行

著者　藤井 佐和子
発行者　富永 靖弘
印刷所　今家印刷株式会社

発行所　東京都台東区台東２丁目24　株式会社 新星出版社
〒110-0016 ☎03（3831）0743

ISBN978-4-405-00611-9